UWCH

Ll... arfer

MEISTROLI

MATHEMATEG

AR GYFER
CBAC TGAU

Ymarfer ● Atgyfnerthu ● Gwneud cynnydd

Ymgynghorydd Asesu a Golygydd: **Keith Pledger**

Keith Pledger, Gareth Cole, Joe Petran a Linda Mason

Golygydd y Gyfres: Roger Porkess

HODDER
EDUCATION
AN HACHETTE UK COMPANY

Llyfr Ymarfer Meistroli Mathemateg ar gyfer TGAU CBAC: Uwch
Addasiad Cymraeg o *Mastering Mathematics for WJEC GCSE Practice Book: Higher* a gyhoeddwyd yn 2016
gan Hodder Education

Ariennir yn Rhannol gan
Lywodraeth Cymru
Part Funded by
Welsh Government

Cyhoeddwyd dan nawdd Cynllun Adnoddau Addysgu a Dysgu CBAC

Mae'r deunydd hwn wedi'i gymeradwyo gan CBAC ac mae'n cynnig cefnogaeth ar gyfer cymwysterau CBAC. Er bod y deunydd wedi bod trwy broses sicrhau ansawdd CBAC, mae'r cyhoeddwr yn dal yn llwyr gyfrifol am y cynnwys.

Cydnabyddiaeth ffotograffau

p.145 © Ingram Publishing – Thinkstock/Getty Images; **t.146** © Lana Langlois – 123RF.

Ymdrechwyd i sicrhau bod cyfeiriadau gwefannau yn gywir adeg mynd i'r wasg, ond ni ellir dal Hodder Education yn gyfrifol am gynnwys unrhyw wefan a grybwyllir yn y llyfr hwn. Mae weithiau yn bosibl dod o hyd i dudalen we a adleolwyd trwy deipio cyfeiriad tudalen gartref gwefan yn ffenestr LlAU (*URL*) eich porwr.

Archebion: cysylltwch â Bookpoint Ltd, 130 Milton Park, Abingdon, Oxon OX14 4SB.
Ffôn: +44 (0)1235 827720. Ffacs: +44 (0)1235 400454. Mae'r llinellau ar agor 9.00a.m.–5.00p.m., dydd Llun i ddydd Sadwrn, ac mae gwasanaeth ateb negeseuon 24-awr. Ewch i'n gwefan www.hoddereducation.co.uk

© Keith Pledger, Gareth Cole, Joe Petran, Linda Mason 2016 (yr argraffiad Saesneg)

© CBAC 2017 (yr argraffiad Cymraeg hwn ar gyfer CBAC)

Cyhoeddwyd gyntaf yn 2016 gan

Hodder Education

An Hachette UK Company

Carmelite House

50 Victoria Embankment

London EC4Y 0DZ

Rhif yr argraffiad	5	4	3	2	1
Blwyddyn	2021	2020	2019	2018	2017

Llun y clawr © ShpilbergStudios

Darluniau gan Integra

Cysodwyd yn India gan Integra Software Services Pvt. Ltd., Pondicherry

Argraffwyd yn y DU gan CPI Group (UK) Ltd, Croydon CR0 4YY

Mae cofnod catalog ar gyfer y teitl hwn ar gael gan y Llyfrgell Brydeinig.

ISBN 9781510415706

Cynnwys

■ Mae unedau â'r symbol hwn yn ofynnol ar gyfer TGAU Mathemateg yn unig.

Sut i gael y gorau o'r llyfr hwn   vii

RHIF

Llinyn 2 Defnyddio ein system rifau

Uned 7 Cyfrifo â'r ffurf safonol   1
Uned 8 Degolion cylchol   3

Llinyn 3 Manwl gywirdeb

Uned 6 Ffigurau ystyrlon   5
Uned 7 Terfannau manwl gywirdeb   7
Uned 8 Arffiniau uchaf ac isaf   9

Llinyn 5 Canrannau

Uned 6 Canrannau gwrthdro   11
Uned 7 Cynnydd/gostyngiad canrannol sy'n cael ei ailadrodd   13
Uned 8 Twf a dirywiad   15

Llinyn 6 Cymarebau a chyfrannedd

Uned 3 Gweithio gyda meintiau cyfrannol   17
■ Uned 4 Y cysonyn cyfrannol (Algebra)   19
■ Uned 5 Gweithio â mesurau sydd mewn cyfrannedd gwrthdro (Algebra)   22
■ Uned 6 Llunio hafaliadau i ddatrys problemau cyfrannedd (Algebra)   25

Llinyn 7 Priodweddau rhif

Uned 6 Rheolau indecsau   27
Uned 7 Indecsau ffracsiynol   29
Uned 8 Syrdiau   31

ALGEBRA

Llinyn 1 Dechrau algebra

■ Uned 9 Symleiddio mynegiadau mwy anodd   33
Uned 10 Defnyddio fformiwlâu cymhleth   35
■ Uned 11 Unfathiannau   37
■ Uned 12 Defnyddio indecsau mewn algebra   39
■ Uned 13 Trin mwy o fynegiadau a hafaliadau   41
■ Uned 14 Ad-drefnu mwy o fformiwlâu   43

Llinyn 2 Dilyniannau

Uned 4 Dilyniannau arbennig		45
Uned 5 Dilyniannau cwadratig		47
Uned 6 $n$fed term dilyniant cwadratig		49

Llinyn 3 Ffwythiannau a graffiau

Uned 3 Hafaliad llinell syth		51
Uned 4 Plotio graffiau cwadratig a chiwbig		54
Uned 5 Darganfod hafaliadau llinellau syth		57
Uned 6 Llinellau perpendicwlar		60
Uned 7 Ffwythiannau polynomaidd a chilyddol		63
Uned 8 Ffwythiannau esbonyddol		65
Uned 9 Ffwythiannau trigonometregol		68

Llinyn 4 Dulliau algebraidd

Uned 1 Cynnig a gwella		73
Uned 2 Anhafaleddau llinol		74
Uned 3 Datrys parau o hafaliadau trwy amnewid		76
Uned 4 Datrys hafaliadau cydamserol trwy ddileu		78
Uned 5 Defnyddio graffiau i ddatrys hafaliadau cydamserol		80
Uned 6 Datrys anhafaleddau llinol mewn dau newidyn		82
Uned 7 Profi unfathiannau		85

Llinyn 5 Gweithio gyda mynegiadau cwadratig

Uned 1 Ffactorio mynegiadau cwadratig		87
Uned 2 Datrys hafaliadau trwy ffactorio		89
Uned 3 Ffactorio mynegiadau cwadratig mwy anodd		91
Uned 4 Y fformiwla gwadratig		93

Llinyn 6 Priodweddau graffiau aflinol

Mae Algebra mewn cyfrannedd wedi'i gynnwys yn Rhif – Llinyn 6 Unedau 4–6.

GEOMETREG A MESURAU

Llinyn 1 Unedau a graddfeydd

Uned 11 Dimensiynau fformiwlâu		95
Uned 12 Gweithio gydag unedau cyfansawdd		97

Llinyn 2 Priodweddau siapiau

Uned 9 Trionglau cyfath a phrawf		99
Uned 10 Prawf gan ddefnyddio trionglau cyflun a chyfath		102
Uned 11 Theoremau'r cylch		105

Llinyn 3 Mesur siapiau

Uned 5 Theorem Pythagoras	108
Uned 6 Arcau a sectorau	110
▨ Uned 7 Y rheol cosin	113
▨ Uned 8 Y rheol sin	116

Llinyn 4 Llunio

Uned 4 Loci	119

Llinyn 5 Trawsffurfiadau

Uned 7 Cyflunedd	121
Uned 8 Trigonometreg	123
▨ Uned 9 Darganfod canolau cylchdro	126
▨ Uned 10 Helaethu â ffactorau graddfa negatif	129
Uned 11 Trigonometreg a theorem Pythagoras mewn 2D a 3D	133

Llinyn 6 Siapiau tri dimensiwn

Uned 5 Prismau	136
Uned 6 Helaethu mewn 2 a 3 dimensiwn	138
Uned 7 Llunio uwcholygon a golygon	140
Uned 8 Arwynebedd arwyneb a chyfaint siapiau 3D	142
Uned 9 Arwynebedd a chyfaint mewn siapiau cyflun	145

YSTADEGAETH A THEBYGOLRWYDD

Llinyn 1 Mesurau ystadegol

Uned 4 Defnyddio tablau amlder grŵp	148
Uned 5 Amrediad rhyngchwartel	152

Llinyn 2 Diagramau ystadegol

Uned 4 Dangos data wedi'u grwpio	155
Uned 7 Histogramau	158

Llinyn 3 Casglu data

Uned 3 Gweithio â thechnegau samplu haenedig a diffinio hapsampl	165

Llinyn 4 Tebygolrwydd

▨ Uned 5 Y rheol luosi	167
▨ Uned 6 Y rheol adio a nodiant diagram Venn	170
▨ Uned 7 Tebygolrwydd amodol	173

Sut i gael y gorau o'r llyfr hwn

Cyflwyniad

Mae'r llyfr hwn yn rhan o'r gyfres Meistroli Mathemateg ar gyfer TGAU CBAC ac mae'n cefnogi'r gwerslyfr drwy gynnig llawer o gwestiynau ymarfer ychwanegol ar gyfer haen Uwch Mathemateg a Mathemateg – Rhifedd.

Mae'r Llyfr Ymarfer hwn wedi'i strwythuro i gyd-fynd â'r Llyfr Myfyriwr Uwch ac mae wedi'i drefnu yn yr un modd yn ôl meysydd allweddol y fanyleb: Rhif, Algebra, Geometreg a Mesurau ac Ystadegaeth a Thebygolrwydd. Mae pob pennod yn y llyfr hwn yn mynd gyda'i phennod gyfatebol yn y gwerslyfr, gyda'r un teitlau er mwyn gwneud y llyfr yn hawdd ei ddefnyddio.

Sylwch: mae'r unedau 'Symud Ymlaen' yn y Llyfr Myfyriwr yn ymdrin â gwybodaeth flaenorol yn unig, ac felly does dim penodau cyfatebol yn y Llyfr Ymarfer hwn. Am y rheswm hwn, er bod trefn y Llyfr Ymarfer yn dilyn y Llyfr Myfyriwr, mae rhai rhifau Llinynnau/Unedau heb eu cynnwys, neu efallai nad ydy'r drefn yn dechrau ag '1'.

Symud drwy bob pennod

Mae'r penodau'n cynnwys amrywiaeth o gwestiynau sy'n mynd yn fwy anodd wrth i chi symud drwy'r ymarferion. Mae tair lefel o anhawster ar draws y Llyfrau Myfyriwr a'r Llyfrau Ymarfer yn y gyfres hon. Maen nhw wedi'u dynodi gan smotiau wedi'u tywyllu ar ochr dde pob tudalen.

Anhawster isel ● ○ ○

Anhawster canolig ● ● ○

Anhawster uchel ● ● ●

Efallai byddwch chi eisiau dechrau ar ddechrau pob pennod a gweithio drwy bob un er mwyn gallu gweld eich cynnydd.

Mathau o gwestiynau

Hefyd mae pob pennod yn cynnwys amrywiaeth o fathau o gwestiynau, sy'n cael eu dynodi gan y cod i'r chwith o'r cwestiwn neu'r is-gwestiwn lle maen nhw i'w gweld. Enghreifftiau yw'r rhain o'r mathau o gwestiwn y bydd angen i chi eu hymarfer ar gyfer yr arholiad TGAU Mathemateg Uwch.

YS Ymarfer sgiliau

Mae'r cwestiynau hyn yn ymwneud ag adeiladu a meistroli'r technegau hanfodol mae eu hangen arnoch i lwyddo.

DH Datblygu hyder

Mae'r rhain yn rhoi cyfle i chi ymarfer defnyddio sgiliau ar gyfer amrywiaeth o ddibenion a chyd-destunau, gan gynyddu eich hyder i ymdrin ag unrhyw fath o gwestiwn.

DP Datrys problemau

Mae'r rhain yn rhoi cyfle i chi ymarfer defnyddio sgiliau datrys problemau er mwyn ymdrin â phroblemau mwy anodd yn y byd go iawn, mewn pynciau eraill ac o fewn Mathemateg ei hun. Wrth ymyl unrhyw gwestiwn, gan gynnwys y mathau uchod o gwestiynau, efallai y gwelwch chi'r cod isod hefyd. Mae hyn yn golygu ei fod yn gwestiwn 'dull arholiad'.

DA Dull arholiad

Mae'r cwestiwn hwn yn adlewyrchu iaith, arddull a geiriad cwestiwn y gallech chi ei weld yn eich arholiad TGAU Mathemateg neu TGAU Mathemateg – Rhifedd Uwch.

Atebion

Gallwch gael atebion i bob cwestiwn sydd yn y llyfr ar ein gwefan.
Ewch i: www.hoddereducation.co.uk/MeistrolimathemategCBAC

Rhif Llinyn 2 Defnyddio ein system rifau Uned 7 Cyfrifo â'r ffurf safonol

YS – **YMARFER SGILIAU** **DH** – **DATBLYGU HYDER** **DP** – **DATRYS PROBLEMAU** **DA** – **DULL ARHOLIAD**

YS **1** Copïwch a chwblhewch bob un o'r canlynol.
Rhowch y rhif coll yn lle pob llythyren.

   a $5.85 \times 10^5 + 2.35 \times 10^5 = a \times 10^5$

   b $1.97 \times 10^{-3} + 2.8 \times 10^{-3} = b \times 10^{-3}$

   c $7.09 \times 10^7 - 6.3 \times 10^7 = c \times 10^7$

   ch $9.4 \times 10^{-5} + 9.4 \times 10^{-5} = d \times 10^{-4}$

YS **2** Cyfrifwch y canlynol, gan roi eich atebion yn y ffurf safonol.

   a $100 \times 1.8 \times 10^6$ **b** $1000 \times 9.3 \times 10^7$

   c $10\,000 \times 2.7 \times 10^{-2}$ **ch** $5.3 \times 10^7 \div 1000$

   d $1.03 \times 10^3 \div 10\,000$ **dd** $1.2 \times 10^{-4} \div 100$

DH **3** O wybod bod $x = 3.5 \times 10^5$, $y = 1.8 \times 10^2$ a $z = 2 \times 10^{-3}$, cyfrifwch werth y canlynol. Rhowch eich atebion yn y ffurf safonol.

   a xy **b** $\frac{x}{z}$

   c x^2 **ch** z^3

   d xyz **dd** x^{-3}

DH **4** Defnyddiwch y wybodaeth yn y tabl i ateb y canlynol.
Rhowch eich atebion yn y ffurf safonol.

1 cilowat = 10^3 wat
1 megawat = 10^6 wat
1 gigawat = 10^9 wat
1 terawat = 10^{12} wat

   a Newidiwch 230 gigawat yn watiau.

   b Newidiwch 0.25 gigawat i fod yn nhermau cilowatiau.

   c Newidiwch 125 cilowat i fod yn nhermau megawatiau.

   ch Newidiwch 18\,500 megawat i fod yn nhermau terawatiau.

DH **5** Màs morfil glas yw 1.9×10^5 kg.

Màs llygoden y tŷ yw 1.9×10^{-2} kg.

Sawl gwaith yn fwy na màs llygoden y tŷ yw màs morfil glas?

DH **6** Mae gwyddonwyr yn amcangyfrif:

- bod tua 100 biliwn galaeth yn y bydysawd arsylladwy a
- bod pob galaeth yn cynnwys, ar gyfartaledd, 300 biliwn o sêr.

Cyfrifwch amcangyfrif ar gyfer cyfanswm nifer y sêr yn y bydysawd arsylladwy.
Rhowch eich ateb yn y ffurf safonol.

(1 biliwn = 10^9)

DH **7** Mae'r tabl yn rhoi gwybodaeth am nifer y litrau o ddŵr sy'n cael eu
DA defnyddio gan ffatri am saith diwrnod.

Dydd Llun	Dydd Mawrth	Dydd Mercher	Dydd Iau	Dydd Gwener	Dydd Sadwrn	Dydd Sul
9.32×10^5	9.85×10^5	1.02×10^6	9.93×10^5	1.18×10^6	1.05×10^6	9.66×10^5

Cyfrifwch y maint cymedrig o ddŵr mae'r ffatri yn ei ddefnyddio bob dydd.
Rhowch eich ateb mewn litrau, yn y ffurf safonol.

DH **8** $x = 4.5 \times 10^4$

Ar gyfer pob un o'r canlynol, rhowch eich ateb yn y ffurf safonol yn gywir i
bedwar lle degol.

a Cyfrifwch

i x^3 **ii** $\sqrt[3]{x}$ **iii** $\dfrac{1}{x}$.

b Pa rif sy'n hanner ffordd rhwng x a $\sqrt{x}$?

DP **9** Buanedd golau yw tua 3×10^8 m/s a phellter y Ddaear o'r Haul
DA yw tua 1.5×10^{11} m.

Sawl eiliad, yn fras, mae'n ei gymryd i olau deithio o'r Haul i'r Ddaear?

DP **10** Mae'r diagram yn dangos cylch wedi'i luniadu y tu mewn i sgwâr.
DA

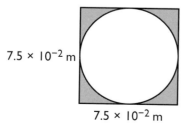

7.5×10^{-2} m

7.5×10^{-2} m

Cyfrifwch arwynebedd y rhan sydd wedi'i thywyllu, mewn m².
Rhowch eich ateb yn y ffurf safonol yn gywir i 3 ffigur ystyrlon.

Rhif Llinyn 2 Defnyddio ein system rifau Uned 8 Degolion cylchol

 YMARFER SGILIAU   DH DATBLYGU HYDER   DP DATRYS PROBLEMAU   DA DULL ARHOLIAD

YS 1 Pa rai o'r ffracsiynau canlynol sy'n gallu cael eu hysgrifennu fel degolyn cylchol?

 a $\dfrac{1}{3}$

 b $\dfrac{3}{6}$

 c $\dfrac{1}{15}$

 ch $\dfrac{7}{20}$

 d $\dfrac{2}{13}$

YS 2 Trawsnewidiwch y degolion cylchol canlynol yn ffracsiynau.

 a $0.\dot{7}$

 b $0.\dot{5}$

 c $0.\dot{1}\dot{3}$

 ch $0.4\dot{5}$

 d $0.\dot{1}5\dot{1}$

DH 3 Ysgrifennwch y degolion cylchol canlynol fel ffracsiynau.

 a $0.\dot{4}$

 b $0.0\dot{4}$

 c $0.00\dot{4}$

 ch $0.0\dot{1}0\dot{4}$

 d $5.000\dot{4}$

3

DH **4 a** Ysgrifennwch y degolion cylchol ar gyfer $\frac{1}{13}, \frac{3}{13}, \frac{4}{13}, \frac{9}{13}, \frac{10}{13}, \frac{12}{13}$.

b Ysgrifennwch y degolion cylchol ar gyfer $\frac{2}{13}, \frac{5}{13}, \frac{6}{13}, \frac{7}{13}, \frac{8}{13}, \frac{11}{13}$.

c Eglurwch beth rydych chi'n sylwi arno rhwng y ddwy set o ffracsiynau.

DP **5** Mae un deg saithfedau (*seventeenths*) hefyd â phatrwm o ailadrodd digidau yn eu degolion cylchol. Mae 16 digid yn y patrwm. Cyfrifwch drefn y digidau. Rhaid i chi ddangos eich gwaith cyfrifo.

DP **6** O wybod bod $0.\dot{4} = \frac{4}{9}$, mynegwch y degolyn cylchol $0.6\dot{4}$ fel ffracsiwn.
DA

DP **7** Eglurwch pam mae $9.\dot{9} = 10$.
DA

DP **8** Eglurwch pam mae unrhyw ffracsiwn ar y ffurf $\frac{1}{p}$ lle mae p yn rhif
DA cysefin yn gallu cael ei ysgrifennu fel degolyn cylchol pan nad yw p yn 2 na 5, a pham mae nifer y digidau yn y patrwm cylchol bob amser yn llai na p. Rhowch un enghraifft.

DH **9** Trawsnewidiwch bob un o'r degolion cylchol canlynol yn ffracsiwn ar ei ffurf symlaf.

a $0.\dot{5}$

b $0.7\dot{5}$

c $0.0\dot{2}\dot{5}$

ch $0.3\dot{2}3\dot{5}$

d $5.1\dot{2}0\dot{5}$

Rhif Llinyn 3 Manwl gywirdeb
Uned 6 Ffigurau ystyrlon

YS — YMARFER SGILIAU   **DH** — DATBLYGU HYDER   **DP** — DATRYS PROBLEMAU   **DA** — DULL ARHOLIAD

YS **1** Ysgrifennwch y nifer o ffigurau ystyrlon sydd ym mhob un o'r rhifau canlynol.

    a   2.75

    b   507

    c   0.0045

    ch 1009

    d   0.0306

    dd 1.0

YS **2** Ysgrifennwch y rhifau canlynol i ddau ffigur ystyrlon.

    a   2.75

    b   507

    c   0.00453

    ch 1009

    d   0.0306

    dd 1.02

YS **3** Ysgrifennwch y rhif 2 367 450 yn gywir i

    a   tri ffigur ystyrlon

    b   un ffigur ystyrlon

    c   dau ffigur ystyrlon.

YS **4** Ysgrifennwch y rhif 0.399 99 yn gywir i

    a   tri ffigur ystyrlon

    b   un ffigur ystyrlon

    c   dau ffigur ystyrlon.

DP **5** Aeth 17 845 o bobl i gyngerdd awyr agored mewn parc.

    a Roedd y papur newydd lleol wedi rhoi'r nifer oedd yn bresennol i dri ffigur ystyrlon. Ysgrifennwch y nifer oedd yn bresennol i dri ffigur ystyrlon.

    b Roedd yr orsaf radio leol wedi rhoi'r nifer oedd yn bresennol i ddau ffigur ystyrlon. Ysgrifennwch y nifer oedd yn bresennol i ddau ffigur ystyrlon.

    c Roedd y gohebydd teledu lleol wedi rhoi'r nifer oedd yn bresennol i un ffigur ystyrlon. Ysgrifennwch y nifer oedd yn bresennol i un ffigur ystyrlon.

DP **6** Y fformiwla ar gyfer cyfrifo arwynebedd elips yw πab.

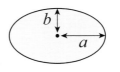

    a Gan ddefnyddio gwerth π fel 3.141 59, darganfyddwch arwynebedd yr elips lle mae $a = 4.50$ a $b = 2.76$. Rhowch yr ateb yn gywir i dri ffigur ystyrlon.

    b Darganfyddwch y gwahaniaeth rhwng yr ateb i ran **a** a'r ateb os oedd y gwerth π oedd yn cael ei ddefnyddio yn cael ei ysgrifennu i dri ffigur ystyrlon. Rhowch yr ateb yn gywir i dri ffigur ystyrlon.

DP **7** Dyma ran o'r bil nwy sydd gan Gerri. Mae'n dangos yr unedau roedd hi wedi'u defnyddio yn ystod mis Mawrth.

Cyfrifwch y bil nwy mae Gerri yn ei gael ar gyfer mis Mawrth. Rhowch eich ateb yn gywir i ddau ffigur ystyrlon.

Gas 2U	
Mrs G Hall	4 Ebrill
2 Stryd Fawr	
Darlleniad diwedd mis Mawrth	4593
Darlleniad diwedd mis Chwefror	3976
Unedau wedi'u defnyddio	617
Cost yr uned	15.6 ceiniog
Tâl misol	£10.50

DP
DA **8** Mae'r Ddaear 92 955 807 o filltiroedd i ffwrdd o'r Haul. Buanedd golau yw 186 000 o filltiroedd yr eiliad yn gywir i 3 ffigur ystyrlon.

Darganfyddwch y nifer o eiliadau mae'n ei gymryd i belydryn o olau adael yr Haul a chyrraedd y Ddaear. Rhowch eich ateb yn gywir i ddau ffigur ystyrlon.

DH
DA **9** Arwynebedd sgwâr yw $8\,\text{cm}^2$.

Darganfyddwch hyd un o ochrau'r sgwâr.
Rhowch eich ateb yn gywir i dri ffigur ystyrlon.

$8\,\text{cm}^2$

DH
DA **10** Cyfaint ciwb yw $10\,\text{cm}^3$.

Darganfyddwch hyd un o ochrau'r ciwb.
Rhowch eich ateb yn gywir i dri ffigur ystyrlon.

$10\,\text{cm}^3$

YS
DA **11** Rhedodd Paula 10.55 milltir mewn 1 awr 54 munud.

Cyfrifwch ei buanedd cyfartalog mewn milltiroedd yr awr.
Rhowch eich ateb yn gywir i ddau ffigur ystyrlon.

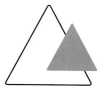

Rhif Llinyn 3 Manwl gywirdeb
Uned 7 Terfannau manwl gywirdeb

YS — YMARFER SGILIAU   DH — DATBLYGU HYDER   DP — DATRYS PROBLEMAU   DA — DULL ARHOLIAD

YS 1 Ysgrifennwch yr arffiniau isaf ac uchaf ar gyfer pob un o'r mesuriadau ⬤⬤◯ canlynol.

    a 2300 m (i'r m agosaf)

    b 2300 m (i'r 10 m agosaf)

    c 2300 m (i'r 50 m agosaf)

YS 2 Mae pob un o'r mesuriadau canlynol wedi'i dalgrynnu i'r nifer o ⬤⬤◯ leoedd degol sydd wedi'i roi mewn cromfachau.
Ysgrifennwch yr arffiniau isaf ac uchaf ar gyfer pob mesuriad.

    a 7.8 ml (i 1 lle degol)

    b 0.3 ml (i 1 lle degol)

    c 0.31 m (i 2 le degol)

    ch 0.058 m (i 3 lle degol)

YS 3 Mae pob un o'r mesuriadau canlynol wedi'i dalgrynnu i'r nifer o ffigurau ⬤⬤◯ ystyrlon sydd wedi'i roi.
Ysgrifennwch yr arffiniau isaf ac uchaf ar gyfer pob mesuriad.

    a 9 g (i 1 ffigur ystyrlon)

    b 90 g (i 1 ffigur ystyrlon)

    c 84 cm (i 2 ffigur ystyrlon)

    ch 0.84 cm (i 2 ffigur ystyrlon)

YS 4 Copïwch a chwblhewch yr anhafaledd ar gyfer pob rhan. ⬤⬤◯

    a Hyd ysgol yw x cm. I'r 10 cm agosaf, yr hyd yw 370 cm.
        $\boxed{} \leqslant x < \boxed{}$

    b Màs wy yw m g. I'r gram agosaf, y màs yw 57 g.
        $\boxed{} \leqslant m < \boxed{}$

    c Tymheredd corff baban yw $T\,^\circ$C. I 1 lle degol, y tymheredd yw 36.4 °C.
        $\boxed{} \leqslant T < \boxed{}$

    ch Cynhwysedd sosban yw y litr. I 2 ffigur ystyrlon, y cynhwysedd yw 2.8 litr.
        $\boxed{} \leqslant y < \boxed{}$

DH **5** $x = 56.7$ (i 1 lle degol) ac $y = 84.2$ (i 1 lle degol).

  a Cyfrifwch yr arffin isaf ar gyfer x.

  b Cyfrifwch yr arffin isaf ar gyfer y.

  c Cyfrifwch yr arffin isaf ar gyfer $x + y$.

DH **6** Hyd ochr cae sgwâr yw 65 m, i'r metr agosaf.
  Cyfrifwch yr arffiniau isaf ac uchaf ar gyfer

  a perimedr y sgwâr

  b arwynebedd y sgwâr.

DH **7** O wybod bod $23.5 \leqslant l < 24.5$ ac $17.5 \leqslant m < 18.5$, cyfrifwch yr
  arffin uchaf ar gyfer $l - m$.

DP
DA **8** Mae stadiwm yn gwerthu tocynnau premiwm a thocynnau safonol.
  Cost tocyn premiwm yw £25.00.
  Cost tocyn safonol yw £12.50.
  Ddydd Sadwrn:

  • mae 2500 o bobl yn prynu tocyn premiwm (i'r 100 agosaf)

  • mae 7400 o bobl yn prynu tocyn safonol (i'r 100 agosaf).

  Gadewch i T gynrychioli cyfanswm yr arian sydd wedi'i dalu am docynnau
  premiwm a thocynnau safonol.
  Cyfrifwch yr arffin isaf a'r arffin uchaf ar gyfer T.

DP
DA **9** Cofnododd Alis yr amser gymerodd ariannwr i ddelio â phob un o
  bedwar cwsmer mewn siop, i'r 10 eiliad agosaf.
  Dyma ei chanlyniadau.
  150   220   190   110
  Cyfrifwch yr arffin isaf ar gyfer yr amser cymedrig gymerodd yr ariannwr
  i ddelio â'r cwsmeriaid hyn.

DP **10** Mae'r diagram yn dangos bathodyn sydd ar siâp sector cylch.
  Radiws sector y cylch yw 8.6 cm (i 2 ffigur ystyrlon).
  Cyfrifwch

  a yr arffin uchaf ar gyfer perimedr y bathodyn

  b yr arffin isaf ar gyfer arwynebedd y bathodyn.

8.6 cm

Rhif Llinyn 3 Manwl gywirdeb
Uned 8 Arffiniau uchaf ac isaf

YS – **YMARFER SGILIAU**   DH – **DATBLYGU HYDER**   DP – **DATRYS PROBLEMAU**   DA – **DULL ARHOLIAD**

YS **1** Ysgrifennwch y rhif sy'n hanner ffordd rhwng: ● ● ○

   a 5 a 6

   b 6.5 a 6.6

   c 17.67 ac 17.68

   ch 2.362 a 2.363

   d 10 a 10.0001

YS **2** Ysgrifennwch yr arffin isaf a'r arffin uchaf ar gyfer y mesuriadau canlynol. ● ● ●

   a Hyd pensil yw 14 cm i'r centimetr agosaf.

   b Hyd ras yw 100 m wedi'i fesur i'r centimetr agosaf.

   c Pwysau bar siocled yw 75 g i'r gram agosaf.

   ch Pwysau bag o gompost yw 25 kg i'r 100 gram agosaf.

   d Cynhwysedd potel o laeth yw 1 litr wedi'i fesur i'r 10 ml agosaf.

DH **3** Mae Raphael yn peintio darluniau. Mae e'n codi tâl o £150 y metr sgwâr am bob darlun mae e'n ei werthu. Mae e'n peintio darlun ar siâp petryal sydd â'i hyd yn 1.2 m a'i led yn 80 cm. Mae'r ddau fesuriad yn gywir i'r centimetr agosaf. ● ● ●

Cyfrifwch arffiniau uchaf ac isaf cost y darlun hwn.

DH **4** Cylchedd y Ddaear o amgylch y cyhydedd yw 24 900 o filltiroedd yn gywir i'r 10 milltir agosaf. ● ● ●

   a Cyfrifwch arffiniau uchaf ac isaf diamedr y Ddaear.

   b Pa dybiaeth rydych chi wedi'i gwneud wrth wneud y cyfrifiad hwn?

DH **5** Mae gan Rhodri ysgol sydd â'i hyd yn 10 m wedi'i fesur yn gywir i'r 2 cm agosaf. Rhaid i waelod yr ysgol fod 3 m, wedi'i fesur i'r 5 cm agosaf, i ffwrdd o waelod wal. ● ● ●

Darganfyddwch arffin uchaf ac arffin isaf yr uchder mae'r ysgol yn gallu ei gyrraedd i fyny'r wal.

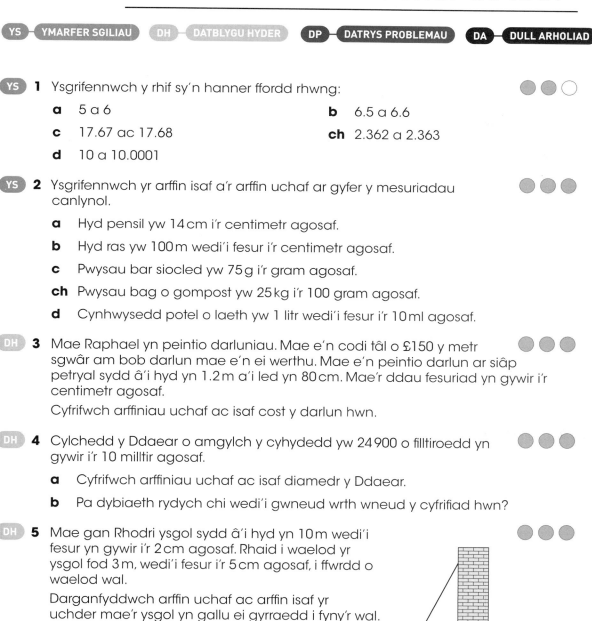

9

DP
DA
6 Beiciodd Peter i'r gwaith. Ei fuanedd cyfartalog oedd 4.8 m/s yn gywir
i 1 lle degol. Cymerodd 20 munud iddo yn gywir i'r munud agosaf.

  a Cyfrifwch arffin isaf y pellter deithiodd Peter i'r gwaith.

  Aeth Peter adref o'r gwaith ar hyd llwybr gwahanol. Beiciodd bellter o 6.2 km yn
  gywir i 1 lle degol. Cymerodd 19 munud iddo yn gywir i'r munud agosaf.

  b Cyfrifwch arffin uchaf buanedd cyfartalog Peter mewn m/s ar gyfer ei
  daith adref.

DP
DA
7 Mae'r maint cyfartalog o danwydd (f) mae car yn ei ddefnyddio,
mewn cilometrau y litr, yn cael ei roi gan y fformiwla $f = \dfrac{d}{u}$, lle mai d yw'r pellter
wedi'i deithio mewn cilometrau ac u yw'r tanwydd wedi'i ddefnyddio mewn litrau.
Mae Jill yn teithio 430 km ac yn defnyddio 52.3 litr o danwydd. Mae'r 430 wedi'i
ysgrifennu yn gywir i 3 ffigur ystyrlon. Mae'r 52.3 wedi'i ysgrifennu yn gywir i un
lle degol.
Cyfrifwch werth f i fanwl gywirdeb addas. Rhaid i chi ddangos eich holl waith
cyfrifo a rhoi rheswm dros eich ateb terfynol.

DH **8** Mae Carys yn gosod 50 teilsen sgwâr ymyl wrth ymyl mewn llinell syth.
Hyd ochr pob teilsen yw 5 cm, yn gywir i'r 2 mm agosaf.

  a Beth yw hyd lleiaf, mewn cm, y llinell syth o'r 50 teilsen hyn?

  b Beth yw hyd mwyaf, mewn cm, y llinell syth o'r 50 teilsen hyn?

DP **9** Mae bwced yn dal 5 litr o ddŵr, yn gywir i'r 0.5 litr agosaf.
Mae tanc yn dal 100 o litrau, yn gywir i'r 4 litr agosaf.
Faint o'r bwcedi hyn o ddŵr byddai'n ei gymryd i fod yn **sicr** o allu
llenwi'r tanc hwn?
Rhaid i chi ddangos eich holl waith cyfrifo.

DP **10** Mae Dafydd yn beicio 44 km, yn gywir i'r 2 km agosaf.
Mae'n cymryd 3 awr iddo, yn gywir i'r $\frac{1}{2}$ awr agosaf.

  a Cyfrifwch fuanedd cyfartalog mwyaf Dafydd, mewn km/awr, ar gyfer y daith
  feicio hon.

  b Cyfrifwch fuanedd cyfartalog lleiaf Dafydd, mewn km/awr, ar gyfer y daith
  feicio hon.

Rhif Llinyn 5 Canrannau
Uned 6 Canrannau gwrthdro

YS YMARFER SGILIAU **DH** DATBLYGU HYDER **DP** DATRYS PROBLEMAU **DA** DULL ARHOLIAD

YS **1** Mae peiriant golchi yn costio £270 sy'n cynnwys TAW o 20%.
Cyfrifwch gost y peiriant golchi heb TAW.

YS **2** Mae cyfrifiadur yn costio £450 ar ôl gostyngiad o 25%.
Cyfrifwch gost y cyfrifiadur cyn y gostyngiad.

YS **3** Aeth 8717 o bobl i ymweld ag atyniad i dwristiaid ym mis Mehefin.
Mae hyn yn gynnydd o 15% yn nifer y bobl aeth i ymweld â'r atyniad ym mis Mai.
Faint o bobl aeth i ymweld â'r atyniad ym mis Mai?

YS **4** Cost casgen o olew yng ngarej Toby yw £45. Mae hyn 60% yn llai
na'r gost 5 mlynedd yn ôl.
Cyfrifwch beth oedd cost casgen o olew yng ngarej Toby 5 mlynedd yn ôl.

YS **5** Mae potel arbennig o Sudd Mega yn cynnwys 1.625 litr o sudd oren.
Mae hyn 30% yn fwy na photel safonol o Sudd Mega.
Cyfrifwch faint o sudd oren sydd mewn potel safonol o Sudd Mega.

YS **6** Hyd rheilen haearn ar 30°C yw 556.2 cm. Mae hyn 3% yn fwy na hyd y
rheilen haearn ar 10°C.
Cyfrifwch hyd y rheilen haearn ar 10°C.

YS **7** Mae gosod peiriant tocynnau digyffwrdd mewn sinema yn lleihau'r
amser cyfartalog mae'n ei gymryd i brynu tocyn ffilm 28%. Yr amser
cyfartalog mae'n ei gymryd i brynu tocyn ffilm gan ddefnyddio'r peiriant
tocynnau digyffwrdd yw 153 eiliad.
Beth oedd yr amser cyfartalog roedd yn ei gymryd i brynu tocyn ffilm
cyn gosod y peiriant tocynnau digyffwrdd?

DH **8** Mae soffa yn costio £840 sy'n cynnwys TAW o 20%.
Cyfrifwch y TAW.

DH **9** Cyfrifwch y gwerth gwreiddiol ar gyfer pob un o'r canlynol.

a ☐ cm wedi'i gynyddu 25% i roi 107.5 cm.

b ☐ g wedi'i ostwng 5% i roi 461.51 g.

c £☐ wedi'i gynyddu 36.5% i roi £352.17.

ch ☐ litr wedi'i ostwng 17.5% i roi 80.85 litr.

d ☐ km wedi'i gynyddu 0.75% i roi 39.091 km.

DH **10** Mae Marc yn prynu siwt, crys a hefyd tei mewn sêl mewn siop adrannol.

Roedd pris y siwt wedi'i ostwng 25% i £81.

Roedd pris y crys wedi'i ostwng 20% i £24.

Roedd pris y tei wedi'i ostwng 75% i £5.

   a Beth oedd pris y siwt, y crys a'r tei cyn y sêl?

   b Faint o arian gwnaeth Marc ei arbed?

DP **DA** **11** Ar ôl haf sych, roedd Cronfa Ddŵr y Bryn yn cynnwys 1.5×10^{10} litr o ddŵr. Mae hyn 36% yn llai na chynhwysedd mwyaf y gronfa ddŵr.

Cyfrifwch gynhwysedd mwyaf Cronfa Ddŵr y Bryn.

Rhowch eich ateb yn y ffurf safonol.

DP **DA** **12** Gweithiodd Llinos am 20 awr yn ei swydd ran-amser yr wythnos hon.

Roedd hyn yn gynnydd o $33\frac{1}{3}\%$ yn nifer yr oriau weithiodd hi yr wythnos diwethaf.

   a Faint o oriau weithiodd Llinos yr wythnos diwethaf?

   b Cyflog Llinos yr wythnos hon yw £144.80. Roedd hyn yn fwy na'i chyflog hi yr wythnos diwethaf.

     Faint yn fwy?

DP **DA** **13** Mae llawlyfr beic modur yn nodi y dylai gwasgedd teiar cefn y beic modur, mewn pwysi y fodfedd sgwâr (*psi*), fod:

   • yn yr amrediad 40.5–45 *psi*

   • 12.5% yn fwy na gwasgedd teiar blaen y beic modur.

Cyfrifwch yr amrediad o wasgeddau posibl ar gyfer teiar blaen y beic modur.

DH **14** Cofnododd Poppy yr amserau gymerodd rhai myfyrwyr i gwblhau pos Sudoku. Dyma'r canlyniadau gafodd hi ar gyfer y myfyrwyr gwrywol.

12 mun 18 eiliad	15 mun 25 eiliad	14 mun 5 eiliad	18 mun 43 eiliad
16 mun 55 eiliad	17 mun 47 eiliad	14 mun 50 eiliad	13 mun 29 eiliad
15 mun 18 eiliad	16 mun 22 eiliad		

Mae amser cymedrig y myfyrwyr gwrywol 4% yn llai nag amser cymedrig y myfyrwyr benywol.

Cyfrifwch amser cymedrig y myfyrwyr benywol.

DP **DA** **15** Mae tri heptagon, A, B ac C.

Mae arwynebedd C 30% yn fwy nag arwynebedd B.

Mae arwynebedd B 20% yn fwy nag arwynebedd A.

Arwynebedd C yw 70.2 cm².

Cyfrifwch arwynebedd A.

DP **16** Gwyliodd 100 o bobl rownd gyntaf cystadleuaeth ddartiau.

Gwyliodd 122 o bobl ail rownd y gystadleuaeth ddartiau.

Roedd nifer y gwrywod wyliodd yr ail rownd 20% yn fwy na nifer y gwrywod wyliodd y rownd gyntaf.

Roedd nifer y benywod wyliodd yr ail rownd 25% yn fwy na nifer y benywod wyliodd y rownd gyntaf.

Cyfrifwch nifer y benywod wyliodd ail rownd y gystadleuaeth.

Rhif Llinyn 5 Canrannau
Uned 7 Cynnydd/gostyngiad
canrannol sy'n cael ei ailadrodd

YS — **YMARFER SGILIAU**   **DH** — **DATBLYGU HYDER**   **DP** — **DATRYS PROBLEMAU**   **DA** — **DULL ARHOLIAD**

YS **1** Ysgrifennwch ystyr pob cyfrifiad. Mae'r un cyntaf wedi'i wneud i chi.   ●○○

  a 280×1.2 *Cynyddu 280 gan 20%.*

  b 280×1.25

  c 280×1.02

  ch 280×1.025

  d 280×0.8

YS **2** Copïwch a chwblhewch y cyfrifiad i gyfrifo pob newid canrannol.   ●○○

  a Cynyddwch 34.5 gan 10%. $34.5 \times \boxed{}$

  b Gostyngwch 304 gan 12%. $304 \times \boxed{}$

  c Gostyngwch 3.125 gan 12.5%. $3.125 \times \boxed{}$

  ch Gostyngwch 0.758 gan 6.5%. $0.758 \times \boxed{}$

YS **3** Cyfrifwch bob un o'r canlynol.   ●●○

  a Cynyddwch 400 gan 10%. Cynyddwch y canlyniad 10%.

  b **i** Cynyddwch 520 gan 10%. Gostyngwch y canlyniad 10%.
  ii Eglurwch pam nad yw'r ateb yn 520.

  c Gostyngwch 1200 gan 15%. Cynyddwch y canlyniad 20%.

YS **4** Mae Ella yn buddsoddi £5000 mewn cyfrif banc am 3 blynedd.
Mae'r banc yn talu adlog ar gyfradd flynyddol o 5%.
Pa gyfrifiad sy'n cynrychioli gwerth y buddsoddiad ar ôl 3 blynedd?   ●●○

  a $5000 \times (0.05)^3$ **b** $5000 \times 0.05 \times 3$

  c $5000 \times (1.05)^3$ **ch** $5000 \times 1.05 \times 3$

DH **5** Dyma beiriant rhif.

Mewnbwn → × 1.15 → × 0.875 → Allbwn

a Copïwch a chwblhewch y tabl ar gyfer y peiriant rhif hwn.

Mewnbwn	520	0.8	108.8	2116
Allbwn				

b Beth mae'r peiriant rhif yn ei wneud i rif mewnbwn?
Rhowch eich ateb yn nhermau canrannau.

DH **6** Mae Mair yn buddsoddi £4000 am 3 blynedd. Mae'r buddsoddiad yn
DA talu adlog ar gyfradd flynyddol o 2%.

Mae Harry yn buddsoddi £3800 am 3 blynedd. Mae ei fuddsoddiad e'n talu adlog ar gyfradd flynyddol o 3%.

Mae cyfanswm y llog mae Harry yn ei gael am ei fuddsoddiad yn fwy na chyfanswm y llog mae Mair yn ei gael am ei buddsoddiad hi.

Faint yn fwy?

DP **7** Mewn sêl, mae pris bagiau llaw yn cael ei ostwng 30%.
DA
Mae Sam yn prynu bag llaw yn y sêl ac yn defnyddio ei cherdyn teyrngarwch sy'n rhoi disgownt ychwanegol o 10% iddi ar bob eitem.

Cost wreiddiol y bag llaw yw £84.

Mae hi'n talu am y bag llaw â thri phapur £20.

Faint o newid dylai hi ei gael?

DP **8** Mae gwerth car newydd yn dibrisio gydag amser.
DA
Ar ddiwedd y flwyddyn gyntaf, mae gwerth y car 20% yn llai na'i werth ar ddechrau'r flwyddyn.

Ar ddiwedd yr ail flwyddyn, mae gwerth y car 15% yn llai na'i werth ar ddechrau'r flwyddyn.

Ar ddiwedd y drydedd flwyddyn, mae gwerth y car 10% yn llai na'i werth ar ddechrau'r flwyddyn.

Gwerth car newydd yw £16450.

Cyfrifwch werth y car ar ôl tair blynedd.

Rhowch eich ateb i'r £100 agosaf.

DP **9** Mae Clio yn plannu coeden. Uchder y goeden yw 2m.
DA
Mae uchder y goeden yn cynyddu 10% bob blwyddyn.

Ar ôl faint o flynyddoedd bydd y goeden yn cyrraedd uchder o 4m?

Rhif Llinyn 5 Canrannau
Uned 8 Twf a dirywiad

YS — **YMARFER SGILIAU**   **DH** — **DATBLYGU HYDER**   **DP** — **DATRYS PROBLEMAU**   **DA** — **DULL ARHOLIAD**

YS **1** Ysgrifennwch y newidiadau canrannol canlynol fel lluosyddion degol. ● ● ○

    a cynyddu 20%

    b gostwng 5%

    c cynyddu 17.5%

    ch gostwng 2.5%

YS **2** Ysgrifennwch y lluosyddion canlynol fel cynnydd neu ostyngiad canrannol. ● ● ○

    a 1.05

    b 0.9

    c 1.025

    ch 0.875

    d 2

YS **3** Mae Rafa yn buddsoddi £500 mewn cyfrif sy'n talu adlog o 3.5%. ● ● ●

    a Cyfrifwch faint o arian oedd gan Rafa yn y cyfrif ar ôl 4 blynedd.

    b Ar ôl faint o flynyddoedd byddai'r swm yn y cyfrif yn mynd dros £1000 am y tro cyntaf?

DH
DA **4** Mae Rachel yn buddsoddi £250 mewn cyfrif banc am 5 mlynedd. ● ● ●
Mae'r banc yn talu adlog ar gyfradd flynyddol o 4.5% am y flwyddyn gyntaf a 3.0% am bob un o'r 4 blynedd arall.
Faint oedd cyfanswm y llog enillodd Rachel yn y pum mlynedd?

DH
DA **5** Mae Giovanni yn buddsoddi £12 000 mewn cyfrif adlog sydd â ● ● ●
chyfradd newidiol am 3 blynedd. Y cyfraddau llog yw 2% am y flwyddyn gyntaf a 3.5% am yr ail flwyddyn a 5% am y drydedd flwyddyn.
Cyfrifwch werth buddsoddiad Giovanni ar ddiwedd y 3 blynedd.

6 Prynodd Didi gar am £10 000. Dibrisiodd y car 15% yn y
 flwyddyn gyntaf roedd hi'n berchen arno a 10% ym mhob blwyddyn ddilynol.

    a Darganfyddwch werth y car ar ddiwedd y drydedd flwyddyn.

    b Ar ôl faint o flynyddoedd bydd gwerth car Didi yn gostwng o dan £4500?

7 Mae cell yn atgynhyrchu trwy hollti'n ddau bob awr.

Mae un gell ar y dechrau.

Mae dwy gell ar ôl un awr.

Mae 4 cell ar ôl dwy awr.

Yn ystod awr ($n + 1$) mae dwywaith cymaint o gelloedd ag oedd yn ystod awr n.

    a Darganfyddwch nifer y celloedd ar ôl 10 awr. Rhowch eich ateb fel pŵer o 2.

Ar ôl 24 awr cafodd tri chwarter o'r celloedd eu tynnu oddi yno.

    b Faint o gelloedd oedd ar ôl? Rhowch eich ateb fel pŵer o 2.

 8 Mae gwyddonydd yn astudio rhai cwningod. Mae gan y cwningod
glefyd marwol. Cafodd cytref o 160 o'r cwningod hyn ei lleihau i 90 mewn dau ddiwrnod. Mae poblogaeth y cwningod yn gostwng yn esbonyddol.

Cyfrifwch faint o'r boblogaeth wreiddiol o 160 o gwningod fydd yn dal yn fyw ar ôl saith diwrnod.

 9 Mae Rhiannon yn ymchwilio i dwf poblogaeth llygod sy'n cael eu
cadw mewn caethiwed. Roedd 120 o lygod ar ddechrau mis 1. Roedd 240 o lygod ar ddechrau mis 3. Mae poblogaeth y llygod yn cynyddu'n esbonyddol.

Cyfrifwch faint o lygod bydd Rhiannon yn disgwyl eu cael yno ar ddechrau mis 6.

 10 Mae cwch gwenyn gan Bill. Mae nifer y gwenyn yn y cwch gwenyn yn
gostwng. Mae Bill yn cyfrif nifer y gwenyn yn y cwch gwenyn ar ddechrau wythnos 4 ac wythnos 6. Dyma'r canlyniadau:

Wythnos	Nifer y gwenyn
4	1600
6	1200

Mae Bill yn tybio bod poblogaeth y gwenyn yn gostwng yn esbonyddol.

Faint o wenyn oedd yn y cwch gwenyn ar ddechrau wythnos 1?

Rhif Llinyn 6 Cymarebau a chyfrannedd Uned 3 Gweithio gyda meintiau cyfrannol

YS — YMARFER SGILIAU   **DH** — DATBLYGU HYDER   **DP** — DATRYS PROBLEMAU   **DA** — DULL ARHOLIAD

YS **1** Mae 7 batri yn costio cyfanswm o £8.75.

   a Beth yw cost 1 batri?

   b Beth yw cost 5 batri?

YS **2** Mae 8 cyfrifiannell yn costio cyfanswm o £46.80.

   a Beth yw cost 5 cyfrifiannell?

   b Beth yw cost 13 cyfrifiannell?

YS **3** Mae 180 o becynnau o greision mewn 5 blwch. Faint o becynnau o greision sydd mewn

   a 3 blwch   **b** 8 blwch?

DH **4** Dyma rysáit i wneud 12 o fisgedi almon. Mae Nain yn mynd i ddefnyddio'r rysáit hon i wneud 21 o'r bisgedi.

Faint o bob cynhwysyn sydd ei angen arni?

Bisgedi almon	
(i wneud 12 o fisgedi)	
5 owns menyn	8 owns blawd
1 owns almonau mâl	3 owns siwgr mân

DH **5** Mae'r label ar botel 0.75 litr o Ddiod Ffrwythau yn dweud ei bod yn gwneud 60 diod.

Beth ddylai'r label ar botel 1.75 litr o Ddiod Ffrwythau ei ddweud am nifer y diodydd mae'n eu gwneud?

DH **6** Mae blychau o glipiau papur i'w cael mewn dau faint a dau bris.

   a Ar gyfer y blwch bach o glipiau papur, cyfrifwch gost 1 clip papur.

   b Pa flwch yw'r gwerth gorau am arian? Eglurwch eich ateb.

Blwch mawr

Blwch bach

50 clip papur
£1.40

225 clip papur
£6.75

DH **7** Mae sbring yn ymestyn 6.3 cm os yw grym o 28 newton (28 N) yn cael ei roi arno.

    a Faint mae'r sbring yn ymestyn os yw grym o 15 N yn cael ei roi arno?

    Mae'r sbring yn ymestyn 2.7 cm os yw grym F N yn cael ei roi arno.

    b Cyfrifwch werth F.

DP **DA** **8** Mae'r tabl yn rhoi gwybodaeth am gyflog Mani ar gyfer yr wythnos diwethaf. Yr wythnos hon gweithiodd Mani 30 awr ar gyfradd safonol a 10 awr ar gyfradd fonws.

    Faint yn fwy enillodd ef yr wythnos hon o'i chymharu â'r wythnos diwethaf?

	Nifer yr oriau wedi'u gweithio	Cyfanswm
Cyfradd safonol	35	£273.70
Cyfradd fonws	5	£60.80
		£334.50

DP **DA** **9** Mae Aabish yn mynd i wneud concrit. Mae ganddi 100 kg o sment, 180 kg o dywod garw, 400 kg o agreg a chyflenwad diderfyn o ddŵr.

    Cyfrifwch y maint mwyaf o goncrit mae Aabish yn gallu ei wneud.

Defnyddiau ar gyfer concrit (i wneud 0.125 m³)	
Sment	40 kg
Tywod garw	75 kg
Agreg	150 kg
Dŵr	22 litr

DP **DA** **10** Mae ffa pob i'w cael mewn tri maint o dun. Mae'r tabl yn rhoi gwybodaeth am y tuniau hyn.

    Tun o ba faint yw'r gwerth gorau am arian? Eglurwch eich ateb.

Maint y tun	Pwysau'r ffa pob (gramau)	Cost (c)
Bach	180	28
Canolig	415	64
Mawr	840	130

DP **11** Uchder Cerflun Rhyddid (*Statue of Liberty*) yw 305 troedfedd. Uchder Eglwys Gadeiriol Sant Paul yw 111 metr. (Mae 10 troedfedd tua 3 metr.)

    Pa un yw'r uchaf, Cerflun Rhyddid neu Eglwys Gadeiriol Sant Paul?

Rhif Llinyn 6 Cymarebau a chyfrannedd Uned 4 Y cysonyn cyfrannol (Algebra)

YS ── YMARFER SGILIAU   DH ── DATBLYGU HYDER   DP ── DATRYS PROBLEMAU   DA ── DULL ARHOLIAD

YS 1 Mae y mewn cyfrannedd ag x.
Pan fo $x = 8$, mae $y = 5$.

   a Ysgrifennwch fformiwla yn cynnwys cysonyn k sy'n cysylltu y ac x.

   b Cyfrifwch werth y pan fo $x = 12$.

   c Cyfrifwch werth x pan fo $y = 16$.

YS 2 Mae'r graff yn dangos gwybodaeth am y newidynnau P ac w.

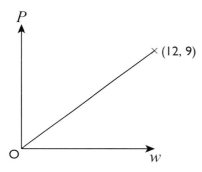

Ysgrifennwch fformiwla sy'n cysylltu P ac w.

YS 3 Mae V mewn cyfrannedd union ag n. Y cysonyn cyfrannol yw 2.25.
Copïwch a chwblhewch y tabl gwerthoedd.

n	3	5		12	
V	6.75		15.75		72

YS 4 Mae S mewn cyfrannedd union â T. Pan fo $T = 10$, mae $S = 120$.

   a Lluniadwch graff S ar gyfer $0 \leqslant T \leqslant 10$.

   b Ysgrifennwch fformiwla sy'n cysylltu S a T.

5 Mae Graham yn cofnodi gwerthoedd newidyn c ar gyfer gwahanol
werthoedd o ail newidyn h.
Mae'r tabl yn dangos y canlyniadau.

h	2	6	15
c	3	8	20

Mae Graham yn dweud, 'Mae c mewn cyfrannedd union â h'.
Ydy Graham yn gywir? Rhowch reswm dros eich ateb.

6 Mae cylchedd (C) cylch mewn cyfrannedd union â'r diamedr (d).
Mae'r graff yn dangos y berthynas rhwng C a d.

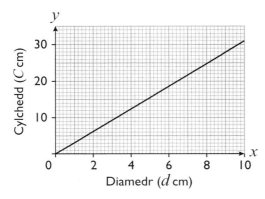

$C = kd$

a Defnyddiwch y graff i ddarganfod gwerth bras y cysonyn cyfrannol k.

b Beth mae gwerth k yn ei gynrychioli yn yr achos hwn?

7 $A = kx$

Pan fo $x = 16$, mae $A = 4$.

a Cyfrifwch werth k.

$B = 1.5x$ ac $Y = A + B$

b Copïwch a chwblhewch y tabl gwerthoedd ar gyfer $x = 4, x = 8, x = 12$ ac $x = 16$.

x	4	8	12	16
A		2		4
B	6			24
$Y = A + B$	7			28

c Eglurwch pam mae Y mewn cyfrannedd union ag x.

ch Ysgrifennwch fformiwla sy'n cysylltu Y ac x.

DP
DA

8 K (cilometrau) α M (milltiroedd)

Mae 16 cilometr = 10 milltir

a Ysgrifennwch fformiwla sy'n cysylltu K ac M.

b Mae Michael yn cerdded 19 cilometr. Mae Sarah yn cerdded 12 milltir.
Pwy gerddodd y pellter mwyaf, a faint yn fwy pell?

DP

9 Mae cost cwyro llawr, £C, mewn cyfrannedd union ag arwynebedd,
am², y llawr.

Mae Tracey yn cwyro'r llawr yn yr ystafell fyw. Mae cwyro arwynebedd o 28 m² yn
costio £350 iddi.

a Ysgrifennwch fformiwla sy'n cysylltu
C ac a.

b Beth mae gwerth y cysonyn cyfrannol
yn ei gynrychioli yn eich fformiwla?

c Mae'r diagram yn dangos y cynllun
llawr ar gyfer ystafell fwyta Tracey.
Mae hi wedi cynilo £150. A fydd hyn yn
ddigon iddi allu cwyro llawr yr ystafell fwyta?

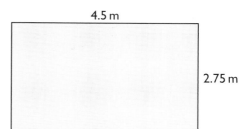

4.5 m

2.75 m

DP **10** Mae Larry yn gyrru ei fan ar fuanedd cyson.
Ar y buanedd cyson hwn:

- mae cost tanwydd, £C, mewn cyfrannedd union â'r pellter wedi'i deithio, d km

- mae'r pellter wedi'i deithio, d km, mewn cyfrannedd union â faint o amser,
t awr, mae Larry yn teithio.

Pan fo d = 47.5 km, mae C = £2.85.

Pan fo t = 4.8 awr, mae d = 210 km.

a Ysgrifennwch fformiwla sy'n cysylltu

i C a d

ii d a t.

b Cyfrifwch werth C pan fo t = 1.6 awr.

c Cyfrifwch werth t pan fo C = £50.

Rhif Llinyn 6 Cymarebau a chyfrannedd Uned 5 Gweithio â mesurau sydd mewn cyfrannedd gwrthdro (Algebra)

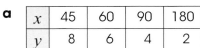

YS — YMARFER SGILIAU   DH — DATBLYGU HYDER   DP — DATRYS PROBLEMAU   DA — DULL ARHOLIAD

YS **1** $h = \dfrac{225}{p}$

Cyfrifwch werth h pan fo

a $p = 9$

b $p = 45$.

YS **2** $PV = k$, lle mai cysonyn yw k.

Pan fo $V = 10$, mae $P = 9$.

a Cyfrifwch werth k.

b Cyfrifwch werth P pan fo $V = 5$.

c Cyfrifwch werth V pan fo $P = 15$.

YS **3** Ar gyfer pob tabl gwerthoedd, nodwch a yw'r ddau newidyn mewn cyfrannedd gwrthdro (neu beidio).

a

x	45	60	90	180
y	8	6	4	2

b

x	6	10	15	42
P	35	21	14	5

c

t	2	3	5	7
S	26	39	65	91

ch

V	3	15	65	273
R	455	91	21	5

DH **4** $y = \dfrac{k}{x}$, lle mai cysonyn yw k.

    a Copïwch a chwblhewch y gosodiadau canlynol.

        i Mae y mewn cyfrannedd _____ ag _____.

        ii k yw'r _____.

    b Pan fo $x = 5$, mae $y = 20$.
        Cyfrifwch werth k.

    c Cyfrifwch werth y pan fo $x = 12.5$.

    ch Cyfrifwch werth x pan fo $y = 25$.

DH **5** Mae'r graff yn dangos V yn erbyn x.

    a Copïwch y tabl a'i gwblhau gan
        ddefnyddio'r wybodaeth yn y graff.

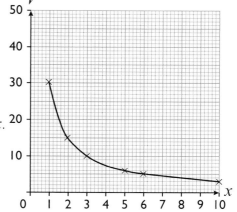

x	1	2			6	10
V	30		10	6		

    b Eglurwch pam mae V mewn cyfrannedd gwrthdro ag x.

    c Ysgrifennwch fformiwla sy'n cysylltu V ac x.

    ch Cyfrifwch werth V pan fo

        i $x = 4$

        ii $x = 100$.

    d Cyfrifwch werth x pan fo

        i $V = 45$

        ii $V = 150$.

DH **6** Ar gyfer màs cyson o fetel, mae'r dwysedd, d g/cm³, mewn cyfrannedd gwrthdro â'r cyfaint, C cm³.

    Mae'r tabl yn rhoi gwybodaeth am ddwyseddau a chyfeintiau 1 kg o rai metelau cyffredin. Mae pob mesuriad yn gywir i 3 ffigur ystyrlon.

Metel	Aur	Arian	Plwm	Copr	Haearn	Platinwm
Dwysedd, d g/cm³	19.3	10.5	11.3	8.96	7.87	21.5
Cyfaint, C cm³	51.8	95.2	88.5	112.0	127.0	46.5

    a Lluniadwch graff o C yn erbyn d.

    b Ysgrifennwch fformiwla sy'n cysylltu C a d ar gyfer 1 kg o fetel.

    c Dwysedd mercwri yw 13.5 g/cm³. Cyfrifwch gyfaint 1 kg o fercwri.

DH 7 Mae cyfaint (V) nwy mewn cyfrannedd gwrthdro â'r gwasgedd (P)
ar dymheredd cyson.

Mae 10 000 cm³ o nwy neon mewn balŵn ar wasgedd o 1.5 atmosffer.

Cyfrifwch gyfaint y nwy neon mewn balŵn pan fo'r gwasgedd yn cael ei gynyddu i 2 atmosffer. Tybiwch fod y tymheredd yn gyson.

DP
DA 8 Cost y llafur i adeiladu patio yw £600.

Mae'r tabl yn rhoi rhywfaint o wybodaeth am y gyfradd yr awr, £R, a'r amser mae'n ei gymryd, t awr, i adeiladu'r patio.

t	25	40	50	60	75
R	24	15	12	10	8

  a Ysgrifennwch fformiwla sy'n cysylltu R a t.

  b Cyfrifwch y gyfradd yr awr pan fydd yn cymryd 30 awr i adeiladu'r patio.

  c Cyfrifwch yr amser mae'n ei gymryd i adeiladu'r patio os yw'r gyfradd yr awr yn £12.50.

DP
DA 9 Mae hyd, y m, a lled, x m, y petryal yn newidynnau.

Mae arwynebedd, A m², y petryal yn gysonyn.

$A = 3990$

  a Ysgrifennwch fformiwla sy'n cysylltu y ac x.

  b Cyfrifwch berimedr y petryal pan fo

    i $x = 38$

    ii $y = 76$.

A m²

x m

y m

DP
DA 10 Mae Kerry yn rhoi wasieri i mewn i fagiau. Ym mhob achos, mae hi'n
rhoi'r un nifer o wasieri ym mhob bag.

Mae'r nifer o wasieri, w, mae hi'n ei roi ym mhob bag mewn cyfrannedd gwrthdro â'r nifer o fagiau, p, mae hi'n ei ddefnyddio.

  a Copïwch a chwblhewch y tabl gwerthoedd.

Y nifer o wasieri ym mhob bag, w	15	30		45
Y nifer o fagiau, p	42		18	

  b Faint o'r wasieri hyn gall Kerry eu rhoi ym mhob un o 105 o fagiau?

  c Mae Kerry yn rhoi 21 o'r wasieri hyn ym mhob bag. Mae bag yn costio 5c. Cyfrifwch gyfanswm cost y bagiau.

Rhif Llinyn 6 Cymarebau a chyfrannedd Uned 6 Llunio hafaliadau i ddatrys problemau cyfrannedd (Algebra)

YS – **YMARFER SGILIAU**   **DH** – **DATBLYGU HYDER**   **DP** – **DATRYS PROBLEMAU**   **DA** – **DULL ARHOLIAD**

YS **1** Ysgrifennwch y perthnasoedd canlynol gan ddefnyddio'r symbol 'mewn cyfrannedd â' ($\propto$).

    a Mae y mewn cyfrannedd ag x

    b Mae y mewn cyfrannedd â sgwâr x

    c Mae y mewn cyfrannedd gwrthdro ag x

    ch Mae y mewn cyfrannedd ag ail isradd x

    d Mae y mewn cyfrannedd â chiwb x

    dd Mae y mewn cyfrannedd gwrthdro â sgwâr x

YS **2** O wybod bod $y = 40$ pan fo $x = 10$, ysgrifennwch hafaliad i ddangos pob un o'r perthnasoedd canlynol.

    a Mae y mewn cyfrannedd ag x

    b Mae y mewn cyfrannedd â sgwâr x

    c Mae y mewn cyfrannedd gwrthdro ag x

    ch Mae y mewn cyfrannedd ag ail isradd x

    d Mae y mewn cyfrannedd â chiwb x

    dd Mae y mewn cyfrannedd gwrthdro â sgwâr x

YS **DA** **3** Mae p mewn cyfrannedd â sgwâr t. Pan fo $p = 75$, mae $t = 5$. Darganfyddwch werth p pan fo $t = 8$.

YS **DA** **4** Mae r mewn cyfrannedd gwrthdro â chiwb s. Pan fo $r = 5$, mae $s = 2$. Darganfyddwch werth r pan fo $s = \frac{1}{2}$.

5 Mae'r amser mae'n ei gymryd i bendil cloc wneud un osgiliad cyflawn mewn cyfrannedd ag ail isradd hyd y pendil.

Pan fo hyd y pendil yn 50 cm, yr amser ar gyfer un osgiliad cyflawn yw un eiliad.

Beth yw hyd y pendil pan fo un osgiliad cyflawn yn cymryd 2 eiliad?

6 Mae Delyth yn cynnal arbrawf ar faint o amser mae hylif yn ei gymryd i oeri mewn rhewgell.

Mae hi'n cofnodi'r amser (m) mewn munudau a'r tymheredd (t) mewn graddau Celsius. Dyma'r canlyniadau:

Amser, m	1	4	9	x
Tymheredd, t	24	12	8	4.8

Mae Delyth yn credu bod t mewn cyfrannedd gwrthdro ag ail isradd m.

Darganfyddwch werth m pan fo'r tymheredd yn 4.8°C.

7 Mae gwrthiant car i fudiant mewn cyfrannedd union â sgwâr buanedd y car. Pan fo buanedd y car yn 25 metr yr eiliad y gwrthiant i fudiant yw 80 000 N.

Darganfyddwch y gwrthiant i fudiant pan fo buanedd y car yn 108 km yr awr.

8 Yn y gaeaf mae ffermwr yn bwydo'r gwartheg â gwair bob dydd. Mae nifer y diwrnodau, d, bydd y gwair yn para mewn cyfrannedd gwrthdro â nifer y gwartheg, c. Mae gan y ffermwr ddigon o wair i fwydo 120 o wartheg am 30 diwrnod. Mae gan y ffermwr 75 buwch.

Am faint o ddiwrnodau bydd y ffermwr yn gallu bwydo'r gwartheg?

9 Mae Aled yn chwarae mewn band. Mae uchder y gerddoriaeth mewn cyfrannedd gwrthdro â sgwâr y pellter o'r band. Mae Aled yn mesur uchder y band yn 115 desibel ar bellter o 4 m.

Mae band Aled yn chwarae mewn priodas. Rhaid iddyn nhw stopio chwarae os yw uchder y gerddoriaeth yn fwy na 100 desibel ar bellter o 5 m.

Eglurwch a yw band Aled yn gorfod stopio chwarae.

10 Mae'r gwasgedd, p, ar ddeifiwr wrth iddi ddeifio dan y dŵr mewn cyfrannedd â sgwâr ei dyfnder, d, dan arwyneb y dŵr. Mae hi'n deifio i 10 m dan arwyneb y dŵr.

Eglurwch pam mae angen iddi ddeifio $10(\sqrt{2} - 1)$ m yn ychwanegol er mwyn i'r gwasgedd ddyblu.

MATHEMATEG YN UNIG

Rhif Llinyn 7 Priodweddau rhif
Uned 6 Rheolau indecsau

YS — **YMARFER SGILIAU**   **DH** — **DATBLYGU HYDER**   **DP** — **DATRYS PROBLEMAU**   **DA** — **DULL ARHOLIAD**

YS **1** Copïwch a chwblhewch y tabl drwy ysgrifennu pob rhif fel pŵer sengl o 5.

Rhif cyffredin	125	25	5	1	$\frac{1}{5}$	$\frac{1}{25}$	$\frac{1}{125}$
Ffurf indecs		5^2					

YS **2** Defnyddiwch y rheol $a^n \times a^m = a^{n+m}$ i symleiddio pob un o'r canlynol. Rhowch eich atebion ar ffurf indecs.

    a $2^3 \times 2^4$

    b $2^{-1} \times 2^5$

    c $7^3 \times 7^0$

YS **3** Defnyddiwch y rheol $a^n \div a^m = a^{n-m}$ i symleiddio pob un o'r canlynol. Rhowch eich atebion ar ffurf indecs.

    a $5^7 \div 5^6$

    b $7^{-1} \div 7^{-1}$

    c $\dfrac{11^{-2}}{11^8}$

YS **4** Defnyddiwch y rheol $(a^m)^n = a^{m \times n}$ i symleiddio pob un o'r canlynol. Rhowch eich atebion ar ffurf indecs.

    a $(5^2)^3$

    b $(2^5)^0$

    c $(11^{-3})^{-2}$

YS **5** Ysgrifennwch bob un o'r canlynol fel ffracsiwn ar ei ffurf symlaf.

Er enghraifft, $2^{-3} = \dfrac{1}{2^3} = \dfrac{1}{8}$.

    a 2^{-2} **b** 3^{-2} **c** 11^{-1} **ch** 10^{-3}

DH **6** Heb ddefnyddio cyfrifiannell, nodwch pa rai o'r canlynol sy'n hafal i 1.

    a 5^0 **b** $3^2 \times 3^{-2}$ **c** $(5^3)^{-2}$ **ch** $2^5 \div 2^5$ **d** $(7^3)^0$

DH **7** Ysgrifennwch bob un o'r canlynol fel pŵer sengl o 2.

    a 4   **b** 4^2 **c** $(4^3)^2$ **ch** $(4^5)^4$

DH **8** Cyfrifwch bob un o'r canlynol. Rhowch eich atebion ar ffurf indecs.

    a $(2^2 \times 2^3) \times 2^4$

    b $(7^3 \times 7^4) \div 7^5$

    c $(2^3)^2 \times (2^2)^3$

    ch $(5^4 \div 5^6)^{-1}$

DH **9** $3^4 = 81$ a $3^5 = 243$

    Ysgrifennwch yr ateb i bob un o'r canlynol fel pŵer sengl o 3. Peidiwch â defnyddio cyfrifiannell.

    a 9×81

    b $\dfrac{243}{9}$

    c $\dfrac{243 \times 81^2}{27}$

DH **10** Defnyddiwch y rheolau indecsau i symleiddio pob un o'r canlynol. Rhowch eich atebion ar ffurf indecs.

    a $2^3 \times 2^4 \times 3^4 \times 3^2$

    b $\dfrac{3^5 \times 5^4}{3^2 \times 5^2}$

    c $(2^5 \times 5^3)^2$

DH **11** Heb ddefnyddio cyfrifiannell, copïwch a chwblhewch y gosodiadau canlynol. Defnyddiwch < neu > neu =.

    a 2^3 ☐ 3^2

    b 2^{-1} ☐ 3^{-1}

    c 3^0 ☐ 3

DP **12** Mae $5^3 = 125$ a $5^5 = 3125$

DA   Mae Pierre yn dweud bod $125^{10} = 3125^6$.

    Heb ddefnyddio cyfrifiannell, nodwch ydy e'n gywir neu beidio. Eglurwch pam.

DP **13** Mae Aled yn dweud bod $(a^m)^n = (a^n)^m$.

DA   Ydy e'n gywir? Eglurwch pam.

DP **14** Ysgrifennwch ffactor cyffredin mwyaf pob un o'r parau canlynol o rifau.

DA   **a** 42 a 70

    b 42^2 a 70^2

Rhif Llinyn 7 Priodweddau rhif
Uned 7 Indecsau ffracsiynol

 YMARFER SGILIAU DATBLYGU HYDER DATRYS PROBLEMAU DA DULL ARHOLIAD

 1 Ysgrifennwch y canlynol fel israddau. ●●●

a $5^{\frac{1}{2}}$ **b** $4^{\frac{1}{3}}$ **c** $3^{\frac{1}{4}}$

ch $8^{\frac{1}{2}}$ **d** $10^{\frac{1}{5}}$ **dd** $6^{\frac{1}{5}}$

 2 Ysgrifennwch y canlynol gan ddefnyddio indecsau. ●●●

a $\sqrt{7}$ **b** $\sqrt[3]{9}$ **c** $\sqrt[3]{4}$

ch $\sqrt{5}$ **d** $\sqrt[6]{5}$ **dd** $\sqrt[7]{2}$

 3 Darganfyddwch werth pob un o'r canlynol. ●●●

a $81^{\frac{1}{2}}$ **b** $8^{\frac{1}{3}}$ **c** $256^{\frac{1}{4}}$

ch $169^{\frac{1}{2}}$ **d** $216^{\frac{1}{3}}$ **dd** $625^{\frac{1}{4}}$

 4 Ysgrifennwch y canlynol gan ddefnyddio israddau. ●●●

a $5^{\frac{3}{2}}$ **b** $7^{\frac{2}{3}}$ **c** $6^{\frac{3}{4}}$

ch $10^{\frac{5}{3}}$ **d** $10^{\frac{2}{5}}$ **dd** $5^{\frac{5}{2}}$

 5 Ysgrifennwch y canlynol gan ddefnyddio indecsau. ●●●

a $\sqrt{2^3}$ **b** $(\sqrt[4]{3})^3$ **c** $\sqrt[3]{5^7}$

ch $\sqrt[4]{7^5}$ **d** $(\sqrt[3]{2})^5$ **dd** $(\sqrt[5]{2})^9$

 6 Darganfyddwch werth pob un o'r canlynol. ●●●

a $36^{\frac{3}{2}}$ **b** $8^{\frac{2}{3}}$ **c** $256^{\frac{3}{4}}$

ch $4^{\frac{5}{2}}$ **d** $27^{\frac{5}{3}}$ **dd** $625^{\frac{3}{4}}$

 7 Ysgrifennwch y canlynol fel israddau. ●●●

a $3^{-\frac{1}{2}}$ **b** $4^{-\frac{1}{3}}$ **c** $5^{-\frac{3}{4}}$

ch $7^{-\frac{3}{2}}$ **d** $9^{-\frac{4}{5}}$ **dd** $3^{-\frac{2}{5}}$

DH **8** Ysgrifennwch y canlynol gan ddefnyddio indecsau.

a $\dfrac{1}{\sqrt{5}}$ **b** $\dfrac{1}{\sqrt[4]{7}}$ **c** $\dfrac{1}{\sqrt[3]{5^2}}$

ch $\dfrac{1}{(\sqrt{7})^3}$ **d** $\dfrac{1}{\sqrt[4]{3^5}}$ **dd** $\dfrac{1}{(\sqrt[5]{3})^3}$

DH **9** Darganfyddwch werth pob un o'r canlynol.

a $16^{-\frac{3}{2}}$ **b** $64^{-\frac{2}{3}}$ **c** $125^{-\frac{5}{3}}$

ch $4^{-\frac{3}{2}}$ **d** $27^{-\frac{2}{3}}$ **dd** $64^{-\frac{5}{6}}$

DP **10** Ysgrifennwch werth pob un o'r canlynol fel pŵer o 2.

a $4 \times 32^{\frac{3}{5}}$

b $\dfrac{1}{8} \times 64^{\frac{3}{2}}$

c $8^{-\frac{5}{3}} \times 32^{\frac{2}{5}}$

DP **11** Darganfyddwch werth n.

a $\dfrac{1}{\sqrt{8}} = 2^n$

b $\sqrt[3]{27^2} = 3^n$

c $(\sqrt[3]{125})^4 = 25^n$

DP **12** **a** Cyfrifwch $\left(\dfrac{125}{27}\right)^{-\frac{2}{3}}$.

DA   **b** Darganfyddwch werth p yn yr unfathiant rhifol canlynol.

$3 \times 8^{\frac{2}{3}} = 96 \times p^{-\frac{1}{3}}$

Rhif Llinyn 7 Priodweddau rhif
Uned 8 Syrdiau

YS — YMARFER SGILIAU   DH — DATBLYGU HYDER   DP — DATRYS PROBLEMAU   DA — DULL ARHOLIAD

YS 1 Ysgrifennwch yr israddau canlynol ar y ffurf $a\sqrt{b}$. ● ● ●

    a $\sqrt{8}$ **b** $\sqrt{27}$ **c** $\sqrt{20}$ **ch** $\sqrt{200}$ **d** $\sqrt{72}$ **dd** $\sqrt{63}$

YS 2 Symleiddiwch yr israddau canlynol. ● ● ●

    a $\sqrt{48}$ **b** $\sqrt{18}$ **c** $\sqrt{54}$ **ch** $\sqrt{500}$ **d** $\sqrt{45}$ **dd** $\sqrt{125}$

YS 3 Rhesymolwch enwadur pob un o'r ffracsiynau canlynol. ● ● ●

    a $\dfrac{3}{\sqrt{2}}$ **b** $\dfrac{3}{\sqrt{3}}$ **c** $\dfrac{4}{\sqrt{5}}$ **ch** $\dfrac{20}{\sqrt{10}}$ **d** $\dfrac{3}{\sqrt{6}}$ **dd** $\dfrac{15}{\sqrt{10}}$

DH 4 Ysgrifennwch bob un o'r ffracsiynau canlynol ar ei ffurf symlaf. ● ● ●

    a $\dfrac{2}{\sqrt{2}}$ **b** $\dfrac{25}{\sqrt{5}}$ **c** $\dfrac{4\sqrt{3}}{\sqrt{12}}$ **ch** $\dfrac{25}{\sqrt{10}}$ **d** $\dfrac{3\sqrt{2}}{\sqrt{8}}$ **dd** $\dfrac{3\sqrt{5}}{\sqrt{10}}$

DH 5 Lluoswch drwodd a symleiddiwch y mynegiadau sydd mewn cromfachau. ● ● ●

    a $(3+\sqrt{2})(3-\sqrt{2})$ **b** $(3+\sqrt{2})(3+\sqrt{2})$

    c $(\sqrt{3}+\sqrt{2})(\sqrt{3}-\sqrt{2})$ **ch** $(\sqrt{3}-\sqrt{2})(\sqrt{3}-\sqrt{2})$

    d $(\sqrt{3}+\sqrt{2})^2$ **dd** $(\sqrt{75}+\sqrt{72})(\sqrt{75}-\sqrt{72})$

DH 6 Rhesymolwch yr enwadur ac ysgrifennwch yr ateb fel swrd ar ei ffurf symlaf. ● ● ●

    a $\dfrac{1}{5+\sqrt{7}}$ **b** $\dfrac{4}{5-\sqrt{7}}$ **c** $\dfrac{\sqrt{7}}{5+\sqrt{7}}$

    ch $\dfrac{1}{\sqrt{7}+\sqrt{5}}$ **d** $\dfrac{\sqrt{35}}{\sqrt{7}-\sqrt{5}}$

DP **DA** **7** Eglurwch pam mae ongl x yn 60°.

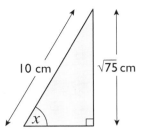

DP **DA** **8** Eglurwch pam mae ongl y yn 30°.

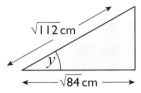

DP **DA** **9** Mae sgwariau'n cael eu lluniadu ar ochrau triongl ongl sgwâr. Cyfrifwch berimedr y triongl ongl sgwâr. Rhowch eich ateb ar ffurf swrd.

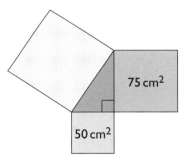

DP **DA** **10** Triongl ongl sgwâr yw PQR. Mae pob mesuriad mewn cm.

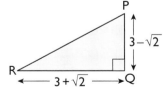

a Cyfrifwch arwynebedd y triongl PQR.

b Cyfrifwch berimedr y triongl PQR.

Algebra Llinyn 1 Dechrau algebra Uned 9 Symleiddio mynegiadau mwy anodd

YS – YMARFER SGILIAU **DH** – DATBLYGU HYDER **DP** – DATRYS PROBLEMAU **DA** – DULL ARHOLIAD

DP
DA
1 Mae Waqar, Nathan a Wesley yn chwarae i dîm pêl-droed yr ysgol.

Mae Waqar wedi sgorio 5 gôl yn fwy na Nathan.

Os bydd Nathan yn sgorio gôl arall, bydd wedi sgorio dwywaith cymaint o goliau â Wesley.

Mae Wesley wedi sgorio g gôl. Mae'r tri bachgen wedi sgorio cyfanswm o T gôl.

Ysgrifennwch fynegiad ar gyfer T yn nhermau g.

DP **2** Mae Tom yn meddwl am rif n ac mae'n adio 4.

Mae Jane yn meddwl am rif m ac mae'n tynnu 7.

Ysgrifennwch ac ehangwch fynegiad ar gyfer lluoswm eu canlyniadau.

DP
DA
3 Ysgrifennwch fynegiad, yn nhermau x, ar gyfer arwynebedd y siâp hwn.

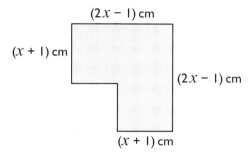

$(2x - 1)$ cm

$(x + 1)$ cm

$(2x - 1)$ cm

$(x + 1)$ cm

DP
DA
4 Mae'r diagram yn dangos lawnt ar siâp sgwâr gyda llwybr o'i amgylch.

Hyd ochr y lawnt yw $(x + 3)$ m.

Lled y llwybr yw 1 m.

Ysgrifennwch fynegiad, yn nhermau x, ar gyfer arwynebedd cyfan y llwybr.

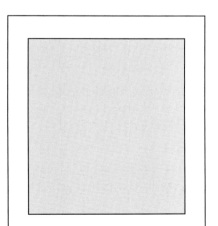

DP **DA** **5** Mae'r diagram yn dangos sgwâr a thriongl ongl sgwâr.

Dangoswch nad yw arwynebedd y sgwâr byth yn hafal i arwynebedd y triongl ongl sgwâr.

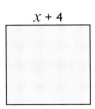
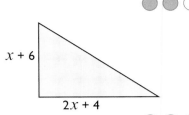

DH **DA** **6** Dangoswch mai arwynebedd y trapesiwm hwn yw $x^2 - 16$.

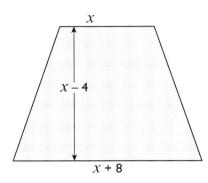

DP **DA** **7** Ysgrifennwch yn nhermau x

  a arwynebedd y petryal sydd wedi'i dywyllu

  b arwynebedd y triongl sydd wedi'i dywyllu.

Ehangwch a symleiddiwch eich mynegiadau, os oes angen.

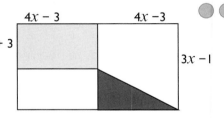

DP **DA** **8** Dyma driongl ongl sgwâr.

Ysgrifennwch fynegiad ar gyfer y yn nhermau x.

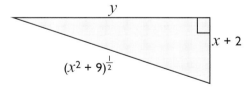

YS **DA** **9 a** Ehangwch a symleiddiwch $(y - 5)(y + 8)$.

  b Symleiddiwch $\dfrac{(2w^2x)^3}{2w^3x \times 3wx^2}$.

DH **DA** **10** $\left(x^{n+1}\right)^{n-1} = x^3$

Ar gyfer pa werth o n mae'r gosodiad hwn yn gywir?

Algebra Llinyn 1 Dechrau algebra Uned 10 Defnyddio fformiwlâu cymhleth

YS – YMARFER SGILIAU   **DH** – DATBLYGU HYDER   **DP** – DATRYS PROBLEMAU   **DA** – DULL ARHOLIAD

DP
DA
1 Mae *BB Cars* yn defnyddio'r fformiwla $C = 20 + 12.5Gt$ i gyfrifo cost, £C, rhentu car. Yma G yw grŵp y car (1, 2, 3 neu 4) a t yw nifer y diwrnodau mae'r car yn cael ei rentu ar eu cyfer.

Talodd Mary £370 i rentu car oddi wrth *BB Cars*.

Cyfrifwch un posibilrwydd ar gyfer nifer y diwrnodau a grŵp y car roedd Mary wedi ei rentu.

YS
DA
2 Dyma fformiwla.

$v = u + at$

 a Cyfrifwch werth v pan fo $u = 25$, $a = -10$ a $t = 3.5$.

 b Ad-drefnwch y fformiwla i wneud a yn destun.

 c Cyfrifwch werth a pan fo $v = 80$, $u = 60$ a $t = 15$.

DH
DA
3 Y fformiwla ar gyfer cyfrifo cyfaint (C) sffêr yw $C = \frac{4}{3}\pi r^3$. Yma r yw radiws y sffêr.

 a Cyfrifwch gyfaint sffêr sydd â'i radiws yn 4.5 cm. Gadewch eich ateb yn nhermau π.

 b Cyfrifwch radiws sffêr sydd â'i gyfaint yn 200 mm³. Cymerwch $\pi = 3.14$.

DP
DA
4 Mae tun o gola ar siâp silindr.

Mae cyfaint silindr (C) yn cael ei roi gan y fformiwla $C = \pi r^2 u$. Yma r yw radiws y silindr ac u yw ei uchder.

Mae Peter yn prynu tun sy'n dal 330 ml o gola.

Radiws y tun yw 3.25 cm.

Cyfrifwch uchder y tun. Cymerwch $\pi = 3.14$.

DH
DA
5 Mae arwynebedd arwyneb (A) silindr solet yn gallu cael ei ddarganfod gan ddefnyddio'r fformiwla $A = 2\pi r^2 + 2\pi ru$. Yma r yw radiws y silindr ac u yw ei uchder.

 a Cyfrifwch arwynebedd arwyneb silindr sydd â'i radiws yn 7 cm a'i uchder yn 15 cm. Rhowch eich ateb yn nhermau π.

 b Cyfrifwch uchder silindr sydd â'i arwynebedd arwyneb yn 20π a'i radiws yn 2 cm.

6 Dyma fformiwla.

$v^2 = u^2 + 2as$

  a Cyfrifwch werth v pan fo $u = 20$, $a = 10$ ac $s = 11.25$.

  b Ad-drefnwch y fformiwla i wneud u yn destun.

  c Cyfrifwch werth u pan fo $v = 9$, $a = 4$ ac $s = 7$.

7 I newid P punnoedd yn E ewros, mae Pete yn defnyddio'r fformiwla
$E = 1.36P$.

I newid P punnoedd yn D doleri, mae Pete yn defnyddio'r fformiwla $D = 1.55P$.

  a Ysgrifennwch fformiwla gallai Pete ei defnyddio i newid doleri yn ewros.

  b Mae Pete yn gweld oriawr ar werth ar wefan Americanaidd am 200 o ddoleri.

  Mae'r un model o oriawr ar werth yn Sbaen am 175 ewro.

  Yn y DU, mae'r model hwn o oriawr yn cael ei werthu am 130 punt.

  Ym mha arian cyfred mae'r oriawr yn fwyaf rhad?

8 Mae'r fformiwla $T = 2\pi\sqrt{\dfrac{l}{g}}$ yn cael ei defnyddio i gyfrifo cyfnod amser, T,

pendil syml. Yma l yw'r hyd mewn centimetrau a g yw'r cyflymiad oherwydd disgyrchiant.

  a Cyfrifwch werth T pan fo $l = 160$ cm a $g = 10$ m/s². Rhowch eich ateb yn nhermau π.

  b Ar gyfer pendil syml arall, $T = \dfrac{2\pi}{7}$.
  Cyfrifwch hyd y pendil syml hwn pan fo $g = 9.8$ m/s².

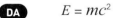

9 Dyma fformiwla.

$c = \sqrt{a^2 + b^2}$

  a Gwnewch b yn destun y fformiwla.

  b Cyfrifwch werth b pan fo $c = 41$ ac $a = 40$.

10 Dyma fformiwla.

$E = mc^2$

Cyfrifwch werth

  a E pan fo $m = 2 \times 10^{30}$ ac $c = 3 \times 10^8$

  b m pan fo $E = 4.5 \times 10^{28}$ ac $c = 3 \times 10^8$.

Algebra Llinyn 1 Dechrau algebra Uned 11 Unfathiannau

YS — YMARFER SGILIAU   **DH** — DATBLYGU HYDER   **DP** — DATRYS PROBLEMAU   **DA** — DULL ARHOLIAD

YS **1** Ysgrifennwch a yw pob gosodiad yn unfathiant (U), hafaliad (H), mynegiad (X) neu fformiwla (F).

    a $m^2 + 5m + 6 = 0$

    b $m^2 + 5m + 6$

    c $m^2 + 5m + 6 = (m + 3)(m + 2)$

    ch $f = m^2 + 5m + 6$

    d $m^2 + 5m + 6 = m(m + 5) + 6$

DH **2** Pa rai o'r canlynol sydd ddim yn unfathiannau?

    A $1 - 2(a - 1) = -2a - 1$ **B** $1 - 2(a - 1) = -2a + 3$

    C $1 - 2(a - 1) = 1 - 2a - 2$ **CH** $1 - 2(a - 1) = 1 - 2a + 2$

    D $1 - 2(a - 1) = 1 + 2a + 2$

DH **3** **a** Ysgrifennwch un gwerth o x y mae'r gosodiad $(x + 4)^2 = x^2 + 4^2$ yn wir ar ei gyfer.

DP   **b** Mae Linda yn dweud bod $(x + 4)^2 = x^2 + 4^2$ yn wir am bob gwerth o x. Ydy Linda yn gywir? Eglurwch eich ateb.

DH   **c** Pa rai o'r unfathiannau canlynol sy'n gywir?

        A $(x + 4)^2 \equiv x^2 + 4^2$ **B** $(x + 4)^2 \equiv x^2 + 4x + 16$ **C** $(x + 4)^2 \equiv x^2 + 8x + 16$

        CH $(x + 4)^2 \equiv x^2 + 4x + 8$ **D** $(x + 4)^2 \equiv x^2 + 8x + 8$

DP **4** Mae Dave dair gwaith oed Anne.

DA   Mae Julie 5 mlynedd yn hŷn nag Anne.

  Mae Julie ddwywaith oed Colin.

  Mae Anne yn x blwydd oed.

    a Ysgrifennwch fynegiad, yn nhermau x, ar gyfer swm eu hoedrannau.

    b Ysgrifennwch y gwerthoedd cyfanrifol o x, lle mae'r canlynol yn wir:

       i Dave yw'r hynaf o'r pedwar

      ii Julie yw'r hynaf o'r pedwar.

DH **5** Mae $x^2 - 4x - 9$ yn gallu cael ei ysgrifennu ar y ffurf $(x - 2)^2 + k$.

DA   **a** Cyfrifwch werth k.

    b Datryswch yr hafaliad $x^2 - 4x - 9 = 0$.

MATHEMATEG YN UNIG

DH
DA

6 Cyfrifwch werthoedd a, b ac c os yw
$(x + 5)^2 + (x - 4)^2 = ax^2 + bx + c$.

DP

7 a Dangoswch mai arwynebedd y siâp hwn yw $9y^2 + 2y - 24$.

DA

b Mae Leo yn dweud mai'r arwynebedd yw $24\,cm^2$.
Eglurwch pam nad yw hyn yn gywir.

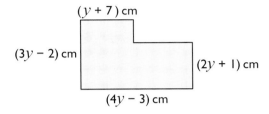

$(y + 7)\,cm$

$(3y - 2)\,cm$

$(2y + 1)\,cm$

$(4y - 3)\,cm$

DH
DA

8 Dangoswch fod

a $\dfrac{x+1}{3} - \dfrac{x-1}{2} = \dfrac{5-x}{6}$

b $\dfrac{1}{1-x} + \dfrac{1}{1+x} = \dfrac{2}{1-x^2}$

DH
DA

9 Profwch fod

a Swm unrhyw ddau odrif bob amser yn eilrif.

b Swm sgwariau dau rif dilynol bob amser yn odrif.

c Y gwahaniaeth rhwng sgwariau unrhyw ddau odrif bob amser yn eilrif.

DP
DA

10 Eglurwch pam nad yw arwynebedd y triongl hwn byth yn gallu
bod yn rhif cyfan o cm^2 pan fo x yn odrif.

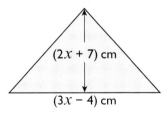

$(2x + 7)\,cm$

$(3x - 4)\,cm$

Algebra Llinyn 1 Dechrau algebra Uned 12 Defnyddio indecsau mewn algebra

YS — **YMARFER SGILIAU**   **DH** — **DATBLYGU HYDER**   **DP** — **DATRYS PROBLEMAU**   **DA** — **DULL ARHOLIAD**

YS **DA** **1** Peiriant mewnbwn–allbwn yw hwn.

mewnbwn → sgwâr → trydydd isradd → cilydd → allbwn

  a Cyfrifwch yr allbwn, fel pŵer o c, pan fo'r mewnbwn yn c.

  b Cyfrifwch y mewnbwn, fel pŵer o d, pan fo'r allbwn yn d.

YS **2** Symleiddiwch y canlynol.

  a $(a^2b^3)^{-1} \div ab^2$

  b $\sqrt{ab^{-1}} \times \dfrac{1}{\sqrt{a^3b}}$

  c $\dfrac{p^3}{q^2} \div \dfrac{q^{-1}}{\sqrt{p}}$

  ch $\dfrac{\sqrt[3]{p^2}}{q^{-2}} \times \dfrac{(2q)^2}{p^4}$

DH **DA** **3** Symleiddiwch y canlynol.

  a $(2pq^2)^2 \div (4p^3(q^2)^{-1})$

  b $\sqrt{(2pq)^3 \times 2pq^{-5}}$

  c $\dfrac{a^2b^{\frac{1}{3}} \times a^{-1}b^{\frac{2}{3}}}{ab}$

  ch $\sqrt[3]{\dfrac{p^2q \times p^5q^3}{pq}}$

DP **DA** **4** Mae arwynebedd y sgwâr hwn yr un peth ag arwynebedd y triongl ongl sgwâr hwn.

 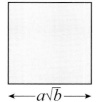

Mae x yn gallu cael ei ysgrifennu ar y ffurf pa^nb^m.

Darganfyddwch werthoedd p, n ac m.

(For the triangle: height labelled x, base labelled $b^3\sqrt{a}$. For the square: side labelled $a\sqrt{b}$.)

MATHEMATEG YN UNIG

DH **DA** **5** $x = a^2b^{-\frac{3}{2}}$ $\quad y = a^{\frac{5}{2}}b^2$

    a Cyfrifwch sgwâr xy.

    b Cyfrifwch giwb $\dfrac{x}{y}$.

YS **6** Ysgrifennwch bob un o'r canlynol fel pŵer o x.

    a $\dfrac{x}{\sqrt{4x^4}}$ **b** $((x^2)^{-5})^{-1}$ **c** $\sqrt[3]{x^{-4}}$

    ch $\dfrac{1}{\sqrt{x^3}}$ **d** $\left(\dfrac{x^2}{x^{-3}}\right)^{\frac{1}{2}}$ **dd** $\dfrac{\sqrt[3]{x}}{(2x^{-1})^3}$

DH **DA** **7** Darganfyddwch werth n yn yr hafaliadau canlynol.

    a $\sqrt{p} \times p^n = \dfrac{1}{p}$

    b $\dfrac{q^3}{\sqrt{q} \times q^n} = q^{\frac{5}{2}}$

DH **DA** **8** **a** Symleiddiwch $(\sqrt{a} - 3\sqrt{b})(2\sqrt{a} + \sqrt{b})$.

    b Ysgrifennwch fel ffracsiwn sengl $\dfrac{2}{\sqrt{n}} + \dfrac{3\sqrt{n}}{4}$.

    c Datryswch $5^x = \dfrac{1}{125}$.

DP **DA** **9** Arwynebedd y triongl ongl sgwâr hwn yw $15\,\text{cm}^2$.

    a Dangoswch fod arwynebedd y triongl ongl sgwâr hwn yn gallu cael ei ysgrifennu fel $2\sqrt{a^5b^3}$.

    b Darganfyddwch fynegiad, yn nhermau a a b, ar gyfer hyd yr hypotenws.

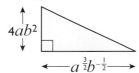

DH **DA** **10** **a** Symleiddiwch $2a^3b^{-1} \times \dfrac{5}{ab^2}$.

    b $x^{2.5} \times x^{n-1} = \dfrac{1}{\sqrt{x}}$. Cyfrifwch werth n.

Algebra Llinyn 1 Dechrau algebra Uned 13 Trin mwy o fynegiadau a hafaliadau

YS — YMARFER SGILIAU   **DH** — DATBLYGU HYDER   **DP** — DATRYS PROBLEMAU   **DA** — DULL ARHOLIAD

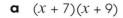

YS **1** Ehangwch a symleiddiwch y canlynol.

    a $(x + 7)(x + 9)$

    b $(x - 5)(x + 11)$

    c $(x - 4)(x - 5)$

    ch $(2x + 3)(5x - 2)$

    d $(3 - x)(5 + 2x)$

    dd $(x - 6)(7 - 2x)$

DP **DA** **2** $(3x + 1)(ax + b) = 6x^2 - 7x - 3$

    Cyfrifwch werthoedd a a b.

DH **DA** **3** **a** Ehangwch $(x - 1)(x - 2)(x - 3)$

    b $(x + 3)(x - a)(x - b) = x^3 + 2x^2 - 23x - 60$. Cyfrifwch werthoedd a a b.

DP **DA** **4** Mae Asif yn cymryd 15 munud yn fwy na Waqar i deithio pellter o 20 milltir. Mae'n cymryd Waqar t awr i deithio'r pellter hwn o 20 milltir. Cyfrifwch y gwahaniaeth rhwng eu buaneddau cyfartalog, yn nhermau t.

DH **DA** **5** Datryswch y canlynol.

    a $\dfrac{x}{4} + \dfrac{x}{5} = 1$

    b $\dfrac{x-1}{2} - \dfrac{x+1}{3} = 6$

DP **DA** **6** Arwynebedd y triongl ongl sgwâr hwn yw $15\,cm^2$. Cyfrifwch berimedr y triongl.

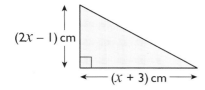

$(2x - 1)$ cm

$(x + 3)$ cm

MATHEMATEG YN UNIG

YS **7** Ehangwch a symleiddiwch y canlynol.

    a $(\sqrt{x} - 1)(\sqrt{x} + 1)$

    b $(x - \sqrt{3})(x + 2\sqrt{3})$

    c $(\sqrt{x} + \sqrt{5})(\sqrt{x} + \sqrt{10})$

    ch $(2\sqrt{x} + \sqrt{3})^2$

DH **DA** **8** Symleiddiwch y canlynol.

    a $\dfrac{(6a-2b)}{(2a+b)(3a-b)}$

    b $\dfrac{p^2 - pq - 2q^2}{p^2 - q^2}$

DH **DA** **9** Symleiddiwch y canlynol.

    a $\dfrac{(u+v)^2 - w^2}{(w+v)^2 - u^2}$

    b $\dfrac{b^2 - ac - ab + bc}{c^2 - ac + ab - bc}$

DH **10** Datryswch y canlynol.

    a $10\left(x + \dfrac{1}{x} \right) = 29$

    b $\dfrac{10x+1}{2x-1} - \dfrac{3x+8}{x+1} = 2$

DP **DA** **11** Mae'r diagram yn dangos rhwyd blwch metel agored.
Mae'r rhwyd yn cael ei thorri o len sydd â'r dimensiynau $(x + 2)$ cm wrth
$(x - 1)$ cm. Mae sgwâr sydd â hyd ei ochrau yn 1 cm yn cael ei dorri allan
o bob cornel. Yna mae'r rhwyd yn cael ei phlygu ar hyd y llinellau toredig i
ffurfio'r blwch.

Os yw cyfaint y blwch yn 70 cm³, cyfrifwch ddimensiynau'r llen o fetel.

DH **DA** **12** $x = 1 + \dfrac{p}{p-q}$ $y = 2 - \dfrac{3q}{p+q}$. Darganfyddwch

    a $\dfrac{x}{y}$

    b $\dfrac{3}{x} + \dfrac{1}{y}$

Algebra Llinyn 1 Dechrau algebra Uned 14 Ad-drefnu mwy o fformiwlâu

MATHEMATEG YN UNIG

YS — **YMARFER SGILIAU**   **DH** — **DATBLYGU HYDER**   **DP** — **DATRYS PROBLEMAU**   **DA** — **DULL ARHOLIAD**

YS **1** Gwnewch y llythyren sydd wedi'i dangos mewn cromfachau yn destun pob fformiwla.

    a $b = a + (n - 1)d$ (n) **b** $e = \frac{1}{2}mc^2$ (c)

    c $t = w\sqrt{ag}$ (g) **ch** $s = ut + \frac{1}{2}at^2$ (a)

YS **2** Prism yw hwn. Mae'r trawstoriad ar siâp trapesiwm.
DA

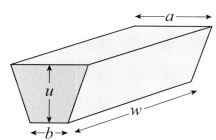

    Mae cyfaint, C, y prism yn cael ei roi gan y fformiwla $C = \frac{w}{2}(a + b)u$. Yma u yw'r

    uchder, w yw'r hyd, ac a a b yw lledau top a gwaelod y trapesiwm.

    a Gwnewch b yn destun y fformiwla.

    b Darganfyddwch b pan fo $C = 450$, $a = 12$, $u = 5$ ac $w = 10$.

DH **3** Gwnewch a yn destun y fformiwla $\cos A = \dfrac{b^2 + c^2 - a^2}{2bc}$.
DA

DH **4** Mae arwynebedd arwyneb crwm, A, côn yn cael ei roi gan y fformiwla
DA
    $A = \pi r\sqrt{u^2 + r^2}$. Yma u yw uchder y côn ac r yw ei radiws.

    a Gwnewch u yn destun y fformiwla.

    b Darganfyddwch u pan fo $A = 550$ ac $r = 10$. Cymerwch $\pi = 3.14$. Rhowch eich ateb i dri ffigur ystyrlon.

43

MATHEMATEG YN UNIG

DH **DA** **5** Gwnewch w yn destun y fformiwla $T = w + \dfrac{wv^2}{gx}$.

DP **DA** **6** Mae gwifren sydd â'i hyd yn L metr yn cael ei hestyn rhwng dau bwynt. Mae'r pwyntiau ar yr un lefel ac maen nhw d metr i ffwrdd o'i gilydd. Mae'r ysigiad (*sag*), s metr, yng nghanol y wifren yn cael ei roi gan y fformiwla $s = \sqrt{\dfrac{3d(L-d)}{8}}$.

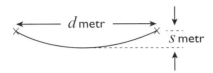

a Ad-drefnwch y fformiwla i wneud L yn destun.

b Cyfrifwch hyd y wifren sy'n rhoi ysigiad o 0.6 m pan fo'r ddau bwynt 16 m i ffwrdd o'i gilydd.

DH **DA** **7** Gwnewch k yn destun y fformiwla $T = 2\pi\sqrt{\dfrac{h^2 + k^2}{2gh}}$.

DP **DA** **8** Mae gwrthiant cyfan, R ohm, dau wrthydd sy'n baralel yn cael ei roi gan $\dfrac{1}{R} = \dfrac{1}{x} + \dfrac{1}{y}$. Yma x ac y yw gwrthiannau'r ddau wrthydd, mewn ohm.

a Gwnewch y yn destun y fformiwla.

b Darganfyddwch y pan fo $x = 2\dfrac{1}{3}$ ohm ac $R = 2\dfrac{1}{4}$ ohm.

DH **DA** **9** **a** $x = a + \sqrt{b(x-a)}$. Darganfyddwch x yn nhermau a a b yn unig.

b Gwnewch p yn destun $A = \sqrt{\dfrac{p^2 - 2q^2}{2p^2 + q^2}}$.

DH **DA** **10** $E = 2c\left(1 + \dfrac{1}{m}\right)$ ac $E = 3k\left(1 - \dfrac{2}{m}\right)$.

Mynegwch m yn nhermau c a k yn unig.

DP **DA** **11** Mae dilyniant rhifyddol yn cael ei ffurfio drwy adio d at y term blaenorol. Os a yw'r term cyntaf, mae swm, S, yr n term cyntaf yn cael ei roi gan y fformiwla $S = \dfrac{n}{2}\big[2a + (n-1)d\big]$.

a Gwnewch d yn destun y fformiwla hon.

b 25 yw term cyntaf dilyniant rhifyddol. Swm y 32 term cyntaf yw 56. Darganfyddwch d.

Algebra Llinyn 2 Dilyniannau
Uned 4 Dilyniannau arbennig

YS – **YMARFER SGILIAU**   **DH** – **DATBLYGU HYDER**   **DP** – **DATRYS PROBLEMAU**   **DA** – **DULL ARHOLIAD**

DH **1** Dyma wyth term cyntaf dilyniant.   ● ○ ○

0   2   2   4   6   10   16   26

a Disgrifiwch y rheol ar gyfer cyfrifo'r termau yn y dilyniant hwn.

b Mae Johan yn dweud: 'Rhaid i bob term yn y dilyniant hwn fod yn eilrif.' Eglurwch pam mae Johan yn iawn.

c Beth sy'n arbennig am y rhifau hyn?

YS **2** Dyma'r tri phatrwm cyntaf mewn dilyniant o batrymau.   ● ○ ○

DA

a Ysgrifennwch y 5 term cyntaf yn y dilyniant sy'n cael ei ffurfio gan y llinellau fertigol.

b Dangoswch fod $n$fed term y dilyniant hwn yn gallu cael ei ysgrifennu fel $\dfrac{n(n+3)}{2}$.

DP **3** Dyma ddilyniant o batrymau wedi'u gwneud gyda dotiau a llinellau syth.   ● ● ○

DA

   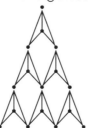

Patrwm I   Patrwm 2   Patrwm 3

a Darganfyddwch y rhifau coll yn y tabl.

Rhif y patrwm	1	2	3	4	10
Nifer y dotiau	4	9			
Nifer y llinellau	5	15			
Nifer y trionglau	2	6			

6 Yn y patrwm hwn, mae llinellau wedi'u tynnu o bob fertig i ganolbwynt pob ochr y tu mewn i rai polygonau rheolaidd.

 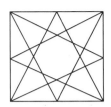 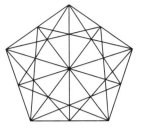

a Ysgrifennwch nifer y llinellau sydd wedi'u tynnu y tu mewn i bob un o'r polygonau hyn.

b Sawl llinell fyddai y tu mewn i hecsagon rheolaidd?

c Mae nifer y llinellau yn y patrwm yn ffurfio dilyniant cwadratig. Ysgrifennwch yr *n*fed term ar gyfer y dilyniant hwn.

ch Sawl llinell fyddai mewn polygon rheolaidd sydd ag 12 ochr?

7 Dyma bump o 6 therm cyntaf dilyniant cwadratig.

2   4   7   ...   16   22

a Ysgrifennwch y term coll.

b Beth yw 20fed term y dilyniant hwn?

c Ysgrifennwch y fformiwla safle-i-derm.

8 Dyma batrwm sydd wedi'i wneud o deils trionglog du a gwyn.

   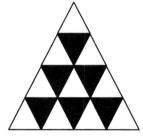

a Ysgrifennwch fynegiad yn nhermau *n* ar gyfer dilyniant y trionglau du.

b Ysgrifennwch fynegiad yn nhermau *n* ar gyfer dilyniant y trionglau gwyn.

c Dangoswch mai dilyniant rhifau sgwâr yw'r dilyniant sy'n cael ei ffurfio gan gyfanswm y trionglau bach ym mhob patrwm.

DP **DA** **4** Mae'r diagram yn dangos y llinell PQ. Mae llinell, L, yn baralel i PQ
ac yn mynd trwy'r pwynt $(9, 0)$. Darganfyddwch hafaliad y llinell L.

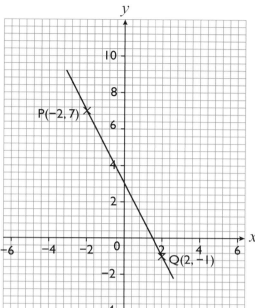

DP **DA** **5** Pwynt sydd â'r cyfesurynnau $(5, 3)$ yw A. Pwynt sydd â'r cyfesurynnau
$(3, -7)$ yw B.

  a Cyfrifwch hafaliad llinell syth sy'n mynd trwy A a B.

Rhyngdoriad y llinell syth arall, L, yw 1. Mae L yn baralel i AB.

  b Darganfyddwch hafaliad L.

DP **DA** **6** Mae'r llinell, M, yn mynd trwy'r pwynt $(-2, 5)$. Mae'n baralel i'r llinell
sydd â'r hafaliad $x + y = 5$.

  a Darganfyddwch hafaliad y llinell M.

Mae'r llinell sydd â'r hafaliad $y = 2x$ yn croestorri M yn y pwynt B.

  b Ysgrifennwch gyfesurynnau'r pwynt B.

  c Darganfyddwch werth x pan fo $y = 8$.

Algebra Llinyn 3 Ffwythiannau a graffiau Uned 4 Plotio graffiau cwadratig a chiwbig

YS —(YMARFER SGILIAU)   DH —(DATBLYGU HYDER)   DP —(DATRYS PROBLEMAU)   DA —(DULL ARHOLIAD)

YS **1 a** Dyma dabl o werthoedd ar gyfer $y = x^2 + 3x - 5$. Cyfrifwch y gwerthoedd coll yn y tabl. ●●○

x	–3	–2	–1	0	1	2	3	4
y	–5			–5	5			

b Dyma dabl o werthoedd ar gyfer $y = 1 + 2x - 3x^2$. Cyfrifwch y gwerthoedd coll yn y tabl. ●●○

x	–3	–2	–1	0	1	2	3	4
y		–15		0				–39

YS **2 a** Dyma dabl o werthoedd ar gyfer $y = x^3 - x + 4$. Cyfrifwch y gwerthoedd coll yn y tabl. ●●○

x	–3	–2	–1	0	1	2	3	4
y		–2		4	4			64

b Dyma dabl o werthoedd ar gyfer $y = 2x^3 - 6x^2 + 3x - 1$. Cyfrifwch y gwerthoedd coll yn y tabl. ●●○

x	–3	–2	–1	0	1	2	3	4
y			–12		–2		8	

DH **3** Mae'r diagram ar dudalen 55 yn dangos rhan o graff $y = 2x^2 - x - 6$. ●●○

a Ysgrifennwch gyfesurynnau'r rhyngdoriad y.

b Ysgrifennwch ddatrysiadau'r hafaliad $2x^2 - x - 6 = 0$.

c Drwy ystyried y llinell $y = -3$, amcangyfrifwch ddatrysiadau'r hafaliad $2x^2 - x - 3 = 0$.

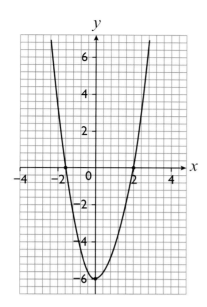

DH **4** Mae'r diagram yn dangos rhan o graff $y = x^3 - 2x^2 - 3x$.

   a Ysgrifennwch ddatrysiadau'r hafaliad $x^3 - 2x^2 - 3x = 0$.

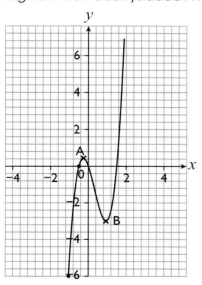

   b Amcangyfrifwch gyfesurynnau'r pwyntiau A a B.

   c Dangoswch mai dim ond un datrysiad sydd gan yr hafaliad $x^3 - 2x^2 - 3x = 4$.

MATHEMATEG YN UNIG

DH **5** Dyma dabl o werthoedd ar gyfer $y = x^2 - 2x - 3$.

DA

x	–3	–2	–1	0	1	2	3	4
y		5		–3				5

    a Cyfrifwch y gwerthoedd coll yn y tabl.

    b Lluniadwch graff $y = x^2 - 2x - 3$.

    c Defnyddiwch eich graff i amcangyfrif y datrysiadau i $x^2 - 2x - 3 = 0$.

DH **6** Dyma dabl o werthoedd ar gyfer $y = x^3 - 2x^2 - 5x + 6$.

DA

x	–3	–2	–1	0	1	2	3	4
y				6			0	

    a Cyfrifwch y gwerthoedd coll yn y tabl.

    b Lluniadwch graff $y = x^3 - 2x^2 - 5x + 6$.

    c Defnyddiwch eich graff i ddatrys $x^3 - 2x^2 - 5x + 6 = 0$.

DH **7** **a** Lluniadwch graff $y = 3 + x - 4x^2$.

DA   **b** Defnyddiwch eich graff i amcangyfrif y datrysiadau i $3 + x - 4x^2 = 0$.

DH **8** Ar yr un echelinau, lluniadwch graffiau $y = x^3 - x$ ac $y = x$.

DA Mae'r graffiau'n croesi yn y pwyntiau A, B ac C.

    a Ysgrifennwch gyfesurynnau'r pwyntiau A, B ac C.

    b Mae cyfesurynnau x y pwyntiau A, B ac C yn ddatrysiadau hafaliad ciwbig. Ysgrifennwch yr hafaliad hwn.

    c Ysgrifennwch hafaliad llinell syth gallech chi ei thynnu i ddatrys $x^3 - 3x = 3$.

DP **9** Mae pêl griced yn cael ei thaflu i fyny'n fertigol o 2 fetr uwchlaw'r

DA ddaear. Mae ei llwybr yn cael ei fodelu gan y ffwythiant cwadratig $u = 2 + 9a - 5a^2$. Yma u yw uchder y bêl ac a yw'r amser.

    a Lluniadwch graff u yn erbyn a ar gyfer gwerthoedd a o 0 i 2 ar gyfyngau o 0.25.

    b Defnyddiwch eich graff i ddarganfod yr uchder mwyaf mae'r bêl yn ei gyrraedd uwchlaw'r ddaear.

Algebra Llinyn 3 Ffwythiannau a graffiau Uned 5 Darganfod hafaliadau llinellau syth

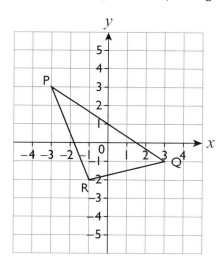

YS — YMARFER SGILIAU   DH — DATBLYGU HYDER   DP — DATRYS PROBLEMAU   DA — DULL ARHOLIAD

YS **1** Ysgrifennwch hafaliad y llinell sydd â'r graddiant

   a 6 ac sy'n mynd trwy (1, 5)

   b −4 ac sy'n mynd trwy (3, 10)

   c 3.5 ac sy'n mynd trwy (−2, −12).

DH **2** Mae'r triongl PQR yn cael ei luniadu ar grid cyfesurynnau.

   a Ysgrifennwch hafaliadau'r tair llinell sy'n ffurfio'r triongl hwn.

   b Cyfrifwch arwynebedd y triongl PQR.

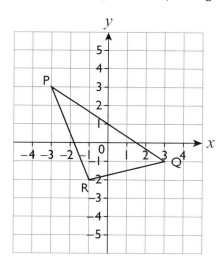

DP **DA** **3** Mae'r graff yn dangos y prisiau sy'n cael eu codi gan *Safe Car Hire*.

Mae'n dangos y berthynas rhwng y tâl (£C) a nifer y diwrnodau (n) mae'r car yn cael ei logi ar eu cyfer.

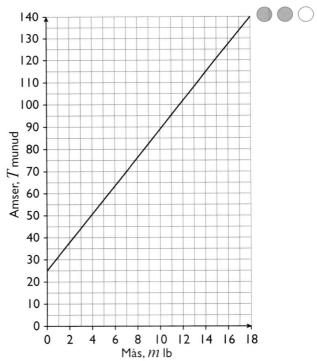

a i Ysgrifennwch beth yw graddiant y graff hwn.

ii Beth mae'r graddiant hwn yn ei gynrychioli?

b Ysgrifennwch hafaliad y graff llinell syth uchod.

c Mae Alan yn llogi car oddi wrth *Safe Car Hire* am 20 diwrnod. Cyfrifwch gyfanswm y tâl.

DP **DA** **4** Mae'r graff yn dangos yr amser, T munud, i goginio twrci sydd â'r màs m lb (pwys).

Mae T yn cael ei roi gan y fformiwla $T = am + b$.

a Cyfrifwch werthoedd a a b.

b Cyfrifwch amser coginio damcaniaethol twrci sydd â'r màs 26 lb.

Rhowch eich ateb mewn oriau a munudau.

DP
DA
5 Mae'r llinell l yn mynd trwy'r pwyntiau A(0, 5) a B(5, 0).
Mae'r llinell m yn mynd trwy'r pwyntiau D(0, 2) ac C(2, 0).

   a Ysgrifennwch hafaliad y ddwy linell.

   b Cyfrifwch arwynebedd y pedrochr ABCD.

DH
DA
6 Mae'r ddwy linell syth, p a q, wedi'u tynnu ar grid cyfesurynnau.

   a Ysgrifennwch hafaliad y ddwy linell.

   b Ysgrifennwch hafaliad y llinell syth sy'n baralel i p ac sy'n mynd trwy (1, 5).

   c Beth yw cyfesurynnau'r pwynt lle mae'r llinellau p a q yn croestorri?

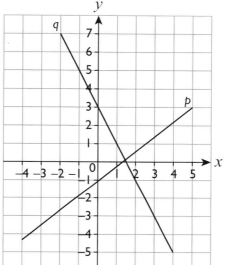

DP
7 Fertigau sgwâr yw A(3, 3), B(3, −2), C(−2, −2) a D(−2, 3).

   a Ysgrifennwch hafaliadau'r croesliniau.

   b Beth yw lluoswm graddiannau'r ddwy groeslin?

YS
DA
8 a Ysgrifennwch beth yw graddiant y llinell syth sy'n cysylltu'r pwyntiau E(5, 8) ac F(−3, 20).

   b Mae Toby yn dweud bydd y llinell syth sy'n mynd trwy E ac F yn ymestyn trwy'r pwynt G(40, −45).
Ydy Toby'n iawn?

DP
DA
9 Mae'r llinell l yn mynd trwy'r pwyntiau A(7, 2) a B(4, 4).
Mae gan y llinell m yr hafaliad $2x + 3y = 5$.

   a Profwch fod l ac m yn baralel.

   b Mae gan y llinell n y graddiant 1.5 ac mae'n mynd trwy ganolbwynt AB.
Ysgrifennwch yr hafaliad ar gyfer n.

DP
DA
10 Fertigau pedrochr yw A(4, 5), B(9, 2), C(1, −1) a D(−4, 2).

   a Profwch mai paralelogram yw ABCD.

   b Ysgrifennwch hafaliad y llinell sy'n mynd trwy A ac C.

Algebra Llinyn 3 Ffwythiannau a graffiau Uned 6 Llinellau perpendicwlar

YS — YMARFER SGILIAU   DH — DATBLYGU HYDER   DP — DATRYS PROBLEMAU   DA — DULL ARHOLIAD

YS   **1**   Edrychwch ar y diagram.

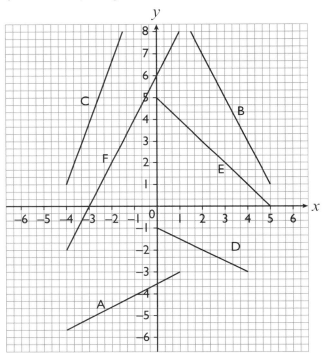

a   Pa linellau ar y grid sydd
   i   yn baralel
   ii   yn berpendicwlar
   i'r llinell sydd â'r hafaliad $y = 2x - 3$?

b   Ysgrifennwch hafaliad pob un o'r llinellau gafodd eu dewis yn rhan **a**.

YS **DA** **2** Ysgrifennwch beth yw graddiant llinell sy'n berpendicwlar i'r llinell sydd â'r hafaliad:

a $y = 2x - 1$

b $y = 1 - 2x$

c $2y = 1 - x$

ch $x + 3y = 1$

d $y - 1 = \dfrac{2x}{3}$

dd $5x + 4y = 20$

DH **DA** **3** Triongl ongl sgwâr yw ABC. Mae ongl A = 90°.

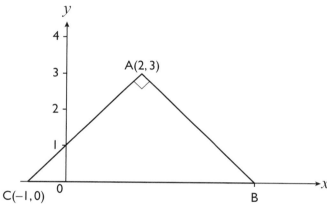

a Ysgrifennwch hafaliad y llinell AB.

b Beth yw cyfesurynnau B?

c Cyfrifwch arwynebedd y triongl ABC.

YS **DA** **4** Dyma hafaliadau wyth llinell syth.

A $y = 2x - 3$ **B** $y = 5 - 3x$ **C** $3y - x = 7$ **CH** $x + y = 3$

D $y = \dfrac{2x - 1}{2}$ **DD** $y = 3(1 - x)$ **E** $y = \dfrac{x}{3} - 2$ **F** $x = 3(y + 2)$

a Pa linellau sy'n baralel?

b Pa linellau sy'n berpendicwlar i'w gilydd?

DP **DA** **5** Darganfyddwch hafaliad llinell sy'n berpendicwlar i $y = 4x + 3$ ac sy'n mynd trwy'r pwynt (1, 7).

MATHEMATEG YN UNIG

DP **DA** **6 a** Tynnwch y llinell sydd â'r hafaliad $2y = x - 2$. Defnyddiwch yr un raddfa ar bob echelin.

b Darganfyddwch hafaliad y llinell sy'n berpendicwlar i $2y = x - 2$ ac sy'n mynd trwy (2, 0).

c Cyfrifwch arwynebedd y triongl sydd â'r perpendicwlar hwn, y llinell $2y = x - 2$ a'r echelin-y yn ffin iddo.

DP **DA** **7 a** Llinell sydd â'r hafaliad $2x + 3y = 6$ yw L. Ar bapur graff, lluniadwch L.

b Mae'r pwynt (6, –2) ar L. Mae P yn llinell syth sy'n berpendicwlar i L ac sy'n mynd trwy (6, –2). Darganfyddwch hafaliad ar gyfer P.

c Beth yw cyfesurynnau rhyngdoriadau P a'r echelinau?

ch Darganfyddwch yr arwynebedd sydd ag L, P a'r echelin-x yn ffin iddo.

DP **DA** **8** Un o groesliniau barcut ABCD yw AC.

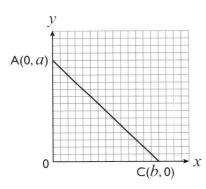

Profwch fod hafaliad y groeslin arall yn gallu cael ei ysgrifennu fel

$$y = \frac{2bx + a^2 - b^2}{2a}.$$

DP **DA** **9** A(2, 2) a B(12, 2) yw pwyntiau terfyn diamedr hanner cylch. Pwynt ar gylchyn yr hanner cylch yw'r pwynt P(4, 6). Darganfyddwch hafaliad y tangiad i'r hanner cylch yn P.

DP **DA** **10** Sgwâr yw ABCD. Mae A(4, 6) ar y llinell sydd â'r hafaliad $y = 0.5x + 4$. Mae'r perpendicwlar i $y = 0.5x + 4$ sy'n mynd trwy A yn cwrdd â'r echelin-x yn B. AB yw un o ochrau'r sgwâr ABCD.

Beth yw cyfesurynnau'r pwyntiau C a D?

Algebra Llinyn 3 Ffwythiannau a graffiau Uned 7 Ffwythiannau polynomaidd a chilyddol

YS — YMARFER SGILIAU   **DH** — DATBLYGU HYDER   **DP** — DATRYS PROBLEMAU   **DA** — DULL ARHOLIAD

YS **DA** **1** Mae cromlin â'r hafaliad $y = x^3 - 2x^2 - 4x$.

    a Copïwch a chwblhewch y tabl gwerthoedd ar gyfer y ffwythiant.

x	−2	−1	0	1	2	3	4
y	−8		0			−3	

    b Lluniadwch graff $y = x^3 - 2x^2 - 4x$.

    c Defnyddiwch eich graff i amcangyfrif datrysiadau'r hafaliad
    $x^3 - 2x^2 - 4x + 5 = 0$.

DP **DA** **2** Mae cyfaint C y ciwboid hwn yn cael ei roi gan y fformiwla
$C = x(x - 2)(x - 4)$.

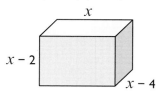

    a Lluniadwch graff o C yn erbyn x gan gymryd gwerthoedd x o 0 i 5.

    b Defnyddiwch eich graff i amcangyfrif dimensiynau'r ciwboid pan fo $C = 2$.
    Eglurwch pam mai dim ond un gwerth o x sy'n dderbyniol.

YS **DA** **3** **a** Copïwch a chwblhewch y tabl hwn ar gyfer $y = x + \dfrac{1}{x}$.

x	−8	−4	−2	−0.5	−0.25	0	0.25	0.5	2	4	8
y	−8.125				−4.25				2.5		

    b Brasluniwch graff o $y = x + \dfrac{1}{x}$.

DH **4** Mae'r graff yn dangos y gromlin $y = x^3 - 4x$.

DA   **a** Ysgrifennwch holl wreiddiau'r hafaliad
$x^3 - 4x = 0$.

    b Ysgrifennwch gyfesurynnau pob
trobwynt.

    c Defnyddiwch y graff hwn i amcangyfrif
datrysiadau

       i $x^3 - 4x - 2 = 0$

       ii $x^3 - 2x = 0$.

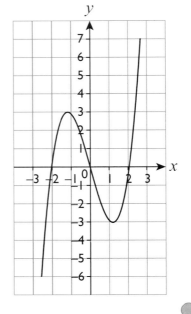

DH **5** Brasluniwch graffiau'r hafaliadau canlynol.

Ar gyfer pob braslun, ysgrifennwch gyfesurynnau unrhyw
drobwyntiau ac unrhyw rhyngdoriadau x neu ryngdoriadau y.

    a $y = x - x^3$

    b $y = 1 - \dfrac{1}{x}$

    c $y = x^3 + 1$

DP **6** **a** Copïwch a chwblhewch y tabl gwerthoedd ar gyfer $y = x^2 + x - \dfrac{1}{x}$.

x	−3	−2	−1	−0.5	−0.25	0	0.25	0.5	1	2	3
y	6.33		1		3.8125		−3.6875		1	5.5	

DA

    b Lluniadwch graff $y = x^2 + x - \dfrac{1}{x}$.

    c Defnyddiwch eich graff i amcangyfrif

       i   cyfesurynnau'r trobwynt

       ii   datrysiad $x^2 + x - \dfrac{1}{x} = 0$.

DP **7** **a** Ar yr un pâr o echelinau, lluniadwch graffiau $y = x^2 - x$ ac
$y = 2 - \dfrac{1}{x}$.

DA

    b Dangoswch fod pwyntiau croestoriad y ddau graff hyn yn
ddatrysiadau'r hafaliad $x^3 - x^2 - 2x + 1 = 0$.

    c Beth yw gwerth bras pob datrysiad positif?

Algebra Llinyn 3 Ffwythiannau a graffiau Uned 8 Ffwythiannau esbonyddol

YS — **YMARFER SGILIAU**   **DH** — **DATBLYGU HYDER**   **DP** — **DATRYS PROBLEMAU**   **DA** — **DULL ARHOLIAD**

YS **DA** **1** Dyma dabl o werthoedd ar gyfer $y = 1.5^x$.

x	-2	-1	0	1	2	3	4
y	0.44		1		2.25		

a Cyfrifwch y gwerthoedd coll yn y tabl gwerthoedd hwn.

b Lluniadwch grid â gwerthoedd x o –2 i 4 a gwerthoedd y o –1 i 8. Lluniadwch graff $y = 1.5^x$.

c Defnyddiwch eich graff i amcangyfrif gwerth x lle mae $1.5^x = 3$.

YS **DA** **2** Dyma dabl o werthoedd ar gyfer $y = 100 \times 4^{-x}$.

x	-2	-1	0	1	2	3	4
y	1600			25		1.5625	

a Cyfrifwch y gwerthoedd coll yn y tabl gwerthoedd hwn.

b Lluniadwch fraslun o graff $y = 100 \times 4^{-x}$ gan ddangos gwerth y rhyngdoriad y, sydd yn y pwynt P.

YS **DA** **3** Mae gan gromlin yr hafaliad $y = a^x$ lle mai cysonyn positif yw a.

a Ysgrifennwch gyfesurynnau'r pwynt lle mae'r gromlin hon yn croesi'r echelin-y.

b Mae'r gromlin yn mynd trwy'r pwynt sydd â'r cyfesurynnau (3, 15.625). Cyfrifwch werth a.

c Cyfrifwch werth y pan fo

   i $x = 0$

   ii $x = 2$.

DP **DA** **4** Mae Riaz yn buddsoddi £2000 mewn cyfrif banc sy'n talu adlog ar gyfradd o 3% y flwyddyn. Mae Irfan yn buddsoddi £2500 mewn cyfrif banc gwahanol sy'n talu adlog ar gyfradd o 1.5% y flwyddyn.

Mae'r swm o arian, £y, mewn cyfrif banc ar ôl x blwyddyn yn cael ei roi gan y fformiwla $y = P \times a^x$. Yma £P yw'r swm o arian wedi'i fuddsoddi a'r ffactor lluosi yw a.

a Dangoswch ar gyfer buddsoddiad Riaz fod $y = 2000 \times 1.03^x$.

b Darganfyddwch y fformiwla ar gyfer buddsoddiad Irfan.

c Drwy luniadu graffiau pob fformiwla, darganfyddwch amcangyfrif ar gyfer y gwerth x lle mae gwerthoedd y ddau fuddsoddiad yr un peth. Rhowch eich ateb i'r rhif cyfan agosaf.

DH **DA** **5** Mae'r pwyntiau (1, 10) a (4, 80) ar y gromlin sydd â'r hafaliad $y = ab^x$, lle mai cyfanrifau yw a a b. Os yw'r pwyntiau (3, q) a (p, 200) ar y gromlin, darganfyddwch werthoedd q a p.

DP **DA** **6** Mae pêl rwber yn cael ei gollwng o uchder o x metr. Bob tro mae'r bêl yn taro'r llawr mae'n adlamu i $\frac{4}{5}$ o'r uchder mae newydd ddisgyn.

a Os bydd y bêl yn cael ei gollwng o uchder o 15 metr, pa bellter bydd wedi'i deithio pan fydd yn taro'r llawr am y 4ydd tro?

b Ysgrifennwch fynegiad, yn nhermau x ac n, ar gyfer uchder y bêl ar ôl n sbonc.

c Mae Brian yn dweud bydd y bêl yn parhau i sboncio am byth. Ydy Brian yn gywir?

DH **DA** **7** Mae'r diagram yn dangos braslun o gromlin sydd â'r hafaliad $y = pq^x$ lle mai cysonion yw p a q.

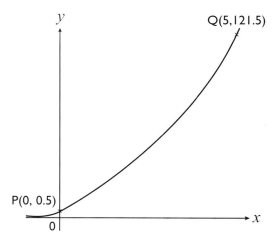

a Darganfyddwch werthoedd p a q.

b Darganfyddwch werth r os yw (–4, r) yn bwynt ar y gromlin hon.

8 Mae poblogaeth rhywogaeth benodol o adar yn lleihau 25% bob blwyddyn. Ar ddechrau 2010, 2 filiwn oedd yr amcangyfrif o boblogaeth y rhywogaeth hon o adar.

a Beth oedd y boblogaeth ar ddiwedd 2015?

b Os P yw'r boblogaeth ar ôl x blwyddyn, ysgrifennwch fformiwla ar gyfer P yn nhermau x.

c Amcangyfrifwch ym mha flwyddyn mae'r rhywogaeth hon o adar yn debygol o ddiflannu.

9 Mae Elfyn yn benthyca £15 000 i brynu car. Bob blwyddyn, mae Elfyn yn ad-dalu 15% o'r arian sy'n dal yn ddyledus ganddo.

a Faint sy'n ddyledus gan Elfyn ar ôl

  i 4 blynedd

  ii n blwyddyn?

b Cyn gynted ag mae dim mwy na £500 yn ddyledus gan Elfyn, mae e'n ad-dalu'r swm sydd ar ôl. Faint o flynyddoedd bydd Elfyn yn eu cymryd i ad-dalu'r hyn sy'n ddyledus ganddo?

10 Yn 1985, roedd Sioned wedi prynu darlun am £4500. Cynyddodd gwerth y darlun 20% bob blwyddyn. Yn 1990, roedd Ellis wedi prynu darlun am £15 000. Cynyddodd gwerth darlun Ellis 12% bob blwyddyn.

£V yw gwerth darlun ar ôl n blwyddyn.

a Ysgrifennwch hafaliad ar gyfer V, yn nhermau n, ar gyfer pob un o'r ddau ddarlun hyn.

b Ym mha flwyddyn oedd darlun Sioned yn werth mwy na darlun Ellis am y tro cyntaf?

c Ym mha flwyddyn aeth gwerth darlun Sioned yn uwch nag £1 miliwn?

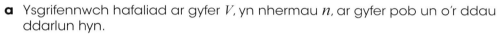

Algebra Llinyn 3 Ffwythiannau a graffiau Uned 9 Ffwythiannau trigonometregol

YS ‒ YMARFER SGILIAU   DH ‒ DATBLYGU HYDER   DP ‒ DATRYS PROBLEMAU   DA ‒ DULL ARHOLIAD

DH **1** Dyma dabl o werthoedd ar gyfer $y = \sin x$.

x	0°	15°	30°	45°	60°	75°	90°
y	0		0.5				1.0

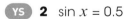

a Cyfrifwch y gwerthoedd coll yn y tabl gwerthoedd hwn.

b Ar grid addas, lluniadwch graff $y = \sin x$ ar gyfer gwerthoedd x o 0° i 90°.

c Defnyddiwch y tabl uchod i ddarganfod

   i $\sin 120°$

   ii $\sin 135°$

   iii $\sin 210°$

   iv $\sin 330°$

   v $\sin 195°$

   vi $\sin 105°$

   vii $\sin 315°$

   viii $\sin 285°$

YS **2** $\sin x = 0.5$

Pa rai o'r canlynol sydd hefyd yn hafal i 0.5?

a $\sin 150°$ **b** $\cos 30°$ **c** $\cos 150°$ **ch** $\cos 60°$ **d** $\sin 210°$

dd $\tan 150°$ **e** $\sin 390°$ **f** $\cos 300°$ **ff** $\tan 30°$ **g** $\sin 330°$

DH
DA

3 Mae'r diagram yn dangos graffiau dau ffwythiant trigonometrig, $y = \sin x$ ac $y = \cos x$.

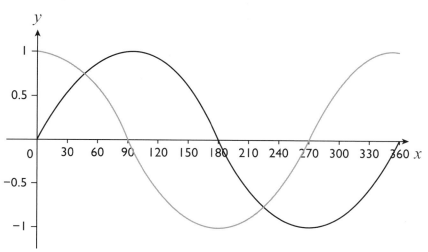

a Pa un yw graff pob ffwythiant?

b Ar gyfer pa werthoedd x rhwng 0° a 360° mae $\sin x = \cos x$?

c Cyfrifwch y gwahaniaeth rhwng $\sin x$ a $\cos x$ pan fo $x = 150°$.

DH **4** Ysgrifennwch

a gwerth lleiaf y a

b gwerth mwyaf y pan fo

i $y = \sin x$

ii $y = \tan x$

iii $y = \cos x$

iv $y = \sin 2x$

v $y = 2\sin x$

vi $y = 5\sin 100x$

vii $y = \dfrac{1}{2}\cos 2x$

viii $y = 1 + \cos 4x$

ix $y = \sin 5x + 3$

x $y = 3 - 2\sin x$

DP **5** Mae'r *London Eye* yn atyniad i dwristiaid lle mae ymwelwyr yn eistedd
mewn cabanau teithwyr ar ymyl allanol olwyn enfawr sy'n cylchdroi.

DA

Mae'r pwynt uchaf ar y *London Eye* tua 130 metr uwchlaw'r ddaear. Mae'r canol tua 70 metr uwchlaw'r ddaear.

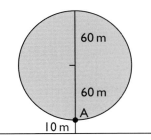

Mae'r *London Eye* yn dechrau cylchdroi ar amser $t = 0$ munud pan fo A ar ei bwynt isaf. Mae pellter, y metr, A uwchlaw'r ddaear ar ôl t munud yn cael ei roi gan yr hafaliad $y = a + b \sin wt$ lle mai cyfanrifau yw a, b ac w.

Os yw'n cymryd 30 munud i'r pwynt A gyrraedd ei bwynt uchaf, darganfyddwch werthoedd a, b ac w.

DP **6** Mae pellter, y metr, gronyn o bwynt penodol O ar ôl t eiliad yn
cael ei roi gan y fformiwla $y = 6 + 4 \cos 10t$.

DA

a Lluniadwch graff $y = 6 + 4 \cos 10t$ o $t = 0$ i $t = 18$ mewn camau o 3 eiliad.

b Am faint o eiliadau mae'r gronyn fwy na 5 metr i ffwrdd o O?

c Darganfyddwch amcangyfrif ar gyfer pellter y gronyn o O ar ôl 5 eiliad.

DH **7** Yma mae brasluniau o graffiau pum ffwythiant.

A

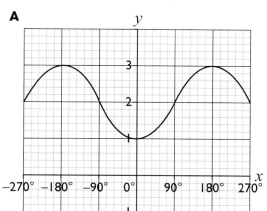

B

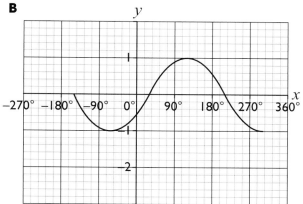

C

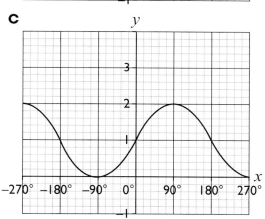

CH

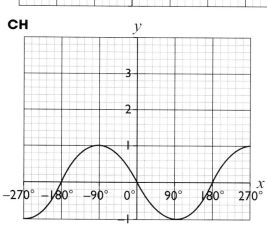

D

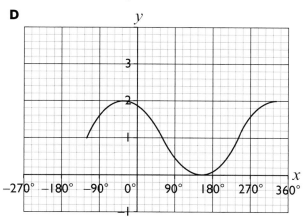

Parwch bob un o'r ffwythiannau hyn ag un o'r graffiau A i D.

i $y = \sin x + 1$ **ii** $y = -\sin x$ **iii** $y = 2 - \cos x$ **iv** $y = \sin(x - 30)$ **v** $y = \cos(x + 30) + 1$

DH **DA** **8** **a** Ysgrifennwch holl werthoedd x rhwng 0° a 360° lle mae $\cos x = -0.5$.

b Datryswch $1 + 2 \cos 5x = 0$ ar gyfer gwerthoedd x rhwng 0° a 90°.

DP **DA** **9** **a** Ar bapur graff 2 mm, lluniadwch graffiau o'r ffwythiannau $y = \tan x$ ac $y = \cos 2x$ ar gyfer gwerthoedd x rhwng −180° a +180°.

b Defnyddiwch eich graff i ddarganfod amcangyfrif ar gyfer datrysiad $\tan x = \cos 2x$ pan fo $0° < x < 90°$.

Algebra Llinyn 4 Dulliau algebraidd Uned 1 Cynnig a gwella

YS – YMARFER SGILIAU **DH** – DATBLYGU HYDER **DP** – DATRYS PROBLEMAU **DA** – DULL ARHOLIAD

DH **1** Mae gan yr hafaliad $x^3 + 2x = 25$ ddatrysiad rhwng 2 a 3.   ● ● ●

    a Cyfrifwch y datrysiad hwn yn gywir i 1 lle degol.

    b Pa brawf mae'n rhaid ei wneud bob tro i gadarnhau bod y datrysiad yn fanwl gywir i 1 lle degol?

DH **2** Mae datrysiad i'r hafaliad $2b^3 - b - 42.5 = 0$ i'w gael rhwng 2 a 3.   ● ● ●
Darganfyddwch y datrysiad hwn yn gywir i 2 le degol.

DH **3** Mae gan yr hafaliad $4x^3 - 50x = 917.7$ ddatrysiad rhwng 6 a 7.   ● ● ●

    a Cyfrifwch y datrysiad hwn yn gywir i 1 lle degol.

    b Pa brawf mae'n rhaid ei wneud bob tro i gadarnhau bod y datrysiad yn fanwl gywir i 1 lle degol?

DP **4** Lluoswm $e^2 + 1$ ac $e - 1$ yw 420.5   ● ● ●
Defnyddiwch ddull cynnig a gwella i ddarganfod gwerth positif o e yn gywir i 1 lle degol.

DP **5** Mae gan yr hafaliad $x(x - 1)(x + 5) = 384$ ddatrysiad rhwng 6 a 7.   ● ● ●

    a Darganfyddwch y datrysiad hwn yn gywir i 2 le degol.

    b Sut gwnaethoch chi gadarnhau eich datrysiad i wybod ei fod yn fanwl gywir i 2 le degol?

DP **6** Mae sylfaen blwch yn sgwâr.   ● ● ●
Mae uchder y blwch ddwywaith cymaint â hyd un o hydoedd sylfaen y blwch.
Cyfaint y blwch yw 194.67 cm³.
Defnyddiwch ddull cynnig a gwella i ddarganfod dimensiynau'r blwch, gyda phob mesuriad yn gywir i 1 lle degol.

DP **7** Hyd sail triongl yw $(x + 2)$ cm ac uchder perpendicwlar y triongl yw   ● ● ●
$(x - 5)$ cm.
Arwynebedd y triongl yw 33.5 cm².
Defnyddiwch ddull cynnig a gwella i ddarganfod uchder perpendicwlar y triongl yn gywir i 1 lle degol.

Algebra Llinyn 4 Dulliau algebraidd Uned 2 Anhafaleddau llinol

YS — **YMARFER SGILIAU**   **DH** — **DATBLYGU HYDER**   **DP** — **DATRYS PROBLEMAU**   **DA** — **DULL ARHOLIAD**

YS **1** Datryswch yr anhafaleddau canlynol.

    a $4 - 2x \geqslant 8$

    b $3 + 2x < 5x - 9$

    c $2(x + 3) + 3(2x + 5) \geqslant 37$

YS **2** **a** Ysgrifennwch yr anhafaledd sy'n cael ei ddangos ar y llinell rif hon.
DA

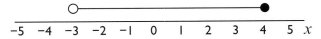

    b Dangoswch yr anhafaledd $-1 \leqslant x < 5$ ar linell rif.

    c Datryswch $2x + 3 > 8$.

DH **3** Mae Colin yn ennill £N bob blwyddyn.

Mae Brian yn ennill o leiaf dwywaith cymaint â Colin.

Mae Becky yn ennill llai na hanner o'r hyn mae Colin yn ei ennill.

Os yw Brian yn ennill £x bob blwyddyn a Becky yn ennill £y bob blwyddyn, ysgrifennwch anhafaleddau i ddangos eu henillion yn nhermau N.

DP **4** Mae Paris yn meddwl am rif sy'n fwy na 5.
DA

Mae hi'n tynnu 3 o'r rhif, yna'n dyblu'r canlyniad.

Mae'r ateb terfynol yn llai nag 12.

Ysgrifennwch bob rhif posibl gallai Paris fod wedi meddwl amdano.

DP **5** Mae perimedr y petryal hwn yn 44 cm o leiaf, ond yn llai na 50 cm.
DA

Ysgrifennwch anhafaledd i ddangos gwerthoedd posibl x.

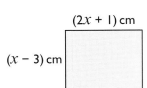

$(2x + 1)$ cm

$(x - 3)$ cm

DP
DA
6 Mae gan April, Bavinda a Chas rywfaint o farblis yr un.
Mae gan April 15 yn fwy o farblis na Bavinda.
Mae gan Bavinda 3 gwaith cymaint o farblis â Chas.
Gyda'i gilydd mae llai na 200 o farblis ganddyn nhw.
Beth yw'r nifer mwyaf o farblis gall April ei gael?

DP
DA
7 Ysgrifennwch anhafaledd ar gyfer pob un o bedair ffin y rhanbarth sydd wedi'i dywyllu.

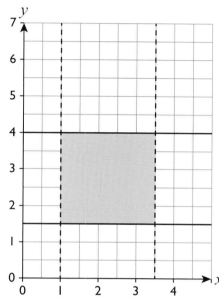

DP
DA
8 Ar bapur graff, dangoswch y rhanbarth sy'n bodloni'r anhafaleddau $2 \leqslant x < 4$ a $2.5 \leqslant y < 4.5$.

DP
DA
9 Mae hyd, lled ac uchder y ciwboid hwn yn bodloni'r anhafaleddau canlynol:

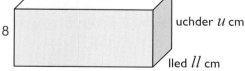

$10 \leqslant h < 11$ $3 \leqslant ll < 3.5$ $6 \leqslant u < 8$

a Cyfrifwch gyfaint mwyaf posibl y ciwboid.

b Cyfrifwch arwynebedd arwyneb lleiaf posibl y ciwboid.

DP
DA
10 Mae n yn gyfanrif sy'n bodloni'r anhafaledd $5n - 1 > 4n + 2$.
Pa un o'r anhafaleddau canlynol na all n ei fodloni?
$4n + 5 > n + 2$ $2n - 7 > 1 - n$ $n + 4 > 6n - 8$ $7 - n > 2n - 11$

DP
DA
11 Mae n yn gyfanrif sy'n bodloni'r ddau anhafaledd canlynol:
$4n - 1 < 2n + 3$ a $5(n + 4) \geqslant 2(n + 5)$
Ysgrifennwch holl werthoedd posibl n.

Algebra Llinyn 4 Dulliau algebraidd Uned 3 Datrys parau o hafaliadau trwy amnewid

YS — YMARFER SGILIAU   DH — DATBLYGU HYDER   DP — DATRYS PROBLEMAU   DA — DULL ARHOLIAD

YS **1** Datryswch y parau canlynol o hafaliadau cydamserol trwy amnewid. ● ● ○

    a $2x + y = 6$
       $y = x + 3$

    b $x + 4y = 11$
       $x = y + 1$

    c $2x + 3y = 6$
       $x = 5 - 2y$

DH **DA** **2** Mae Aled yn meddwl am ddau rif. ● ● ○
Y gwahaniaeth rhwng y ddau rif yw 7.
Swm y ddau rif yw 25.
Pa ddau rif mae Aled yn meddwl amdanyn nhw?

DH **DA** **3** Swm dau rif yw 160. ● ● ○
Y gwahaniaeth rhwng y ddau rif yw 102.
Cyfrifwch y ddau rif.

DP **DA** **4** Mae Elfyn yn talu £10.50 am 4 darn o bysgod a 3 dogn o sglodion. ● ● ○
Mae Tracey yn talu £5.40 am 3 darn o bysgod.
Mae Malcolm yn prynu 2 ddarn o bysgod a 2 ddogn o sglodion.
Faint dylai hyn ei gostio iddo?

DP **DA** **5** Mae gan Chan 24 papur arian yn union yn ei waled. ● ● ○
Maen nhw naill ai'n bapurau £20 neu'n bapurau £10.
Cyfanswm gwerth y papurau arian yw £410.
Sawl papur £20 sydd yn waled Chan?

DP **DA** **6** Beth yw perimedr y petryal hwn? ● ● ○

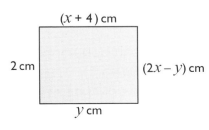

DP
DA

7 Ym Mlwyddyn 10:

• Mae b bachgen ac m merch.

• Mae 45 mwy o fechgyn na merched.

Pe bai 12 bachgen a dim merched yn ymuno â Blwyddyn 10, byddai dwywaith cymaint o fechgyn ag sydd o ferched.

Faint o fyfyrwyr sydd ym Mlwyddyn 10?

DP
DA

8 Mewn cerbyd trên mae b bwrdd sydd â seddau ar gyfer 4 person ac s sedd sengl (heb fwrdd).

Cyfanswm y seddau mewn cerbyd yw 62 ac mae 22 mwy o seddau sengl na byrddau.

Mewn un cerbyd, mae rhywun yn eistedd mewn 19 o'r seddau sengl.

Faint o'r seddau sengl sydd heb neb yn eistedd yno?

DP
DA

9 Mewn clwb tennis mae b aelod benywol a g aelod gwrywol.

Yn 2010, roedd ganddyn nhw 16 mwy o aelodau benywol nag aelodau gwrywol.

Erbyn 2015, roedd nifer yr aelodau benywol wedi cynyddu draean, roedd nifer yr aelodau gwrywol wedi gostwng 18 ac roedd cyfanswm o 120 o aelodau.

Sawl aelod benywol oedd gan y clwb yn 2010?

DP
DA

10 Mae hafaliad llinell l yn cael ei roi gan $y = mx + c$.

Mae'r pwyntiau $(1, 7)$ a $(3, 11)$ ar linell l.

Cyfrifwch werthoedd m ac c.

Algebra Llinyn 4 Dulliau algebraidd Uned 4 Datrys hafaliadau cydamserol trwy ddileu

YS — **YMARFER SGILIAU**   DH — **DATBLYGU HYDER**   DP — **DATRYS PROBLEMAU**   DA — **DULL ARHOLIAD**

DH **1** Datryswch y parau canlynol o hafaliadau cydamserol trwy ddileu.

    a $3x + 2y = 14$
       $5x - 2y = 18$

    b $2x + 3y = 2$
       $8x + 3y = 17$

    c $6x - 5y = 23$
       $4x - 3y = 14$

DP **DA** **2** Pris tocynnau ar gyfer gêm bêl-droed yw £x i oedolion ac £y i blant.

Mae Morgan yn talu £270 am docynnau ar gyfer 2 oedolyn a 5 plentyn.

Mae Jim yn talu £251 am docynnau ar gyfer 3 oedolyn a 2 blentyn.

Mae gan Peter £150 i brynu tocynnau ar gyfer y gêm bêl-droed. A oes ganddo ddigon o arian i brynu tocynnau ar ei gyfer ef ei hun a'i 3 phlentyn?

DP **DA** **3** Mae cwmni tacsis yn codi tâl sefydlog plws cost ychwanegol am bob milltir.

Mae taith o 8 milltir yn costio £8.90. Mae taith o 12 milltir yn costio £12.10.

Mae Sioned 20 milltir o'i chartref. Dim ond £20 sydd ganddi.

A oes gan Sioned ddigon o arian i deithio adref mewn tacsi?

DH **DA** **4** Cyfrifwch arwynebedd y petryal hwn.

    $(5x + 4y)$ cm

$(6y - 5)$ cm $(5x + 9)$ cm

    $(2x + 3)$ cm

5 Mae'r teulu Smith a'r teulu Jones wedi trefnu'r un gwyliau haf.

Mae Mr a Mrs Smith a'u tri phlentyn wedi talu £2440.

Mae Mr Jones, ei fam a'i dad a'i blentyn wedi talu £2330.

Ar ôl iddyn nhw drefnu'r gwyliau, mae'r cwmni teithio yn gostwng cost gwyliau plentyn 10% ac yn ad-dalu'r ddau deulu.

Faint o ad-daliad dylai pob teulu ei dderbyn?

6 Mae'r diagram yn dangos triongl hafalochrog a sgwâr.

Mae perimedr y sgwâr yn hafal i berimedr y triongl.

Cyfrifwch arwynebedd y sgwâr.

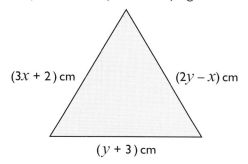
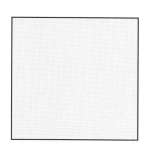

$(3x + 2)$ cm $(2y - x)$ cm

$(y + 3)$ cm

7 Mae bachgen yn teithio am x awr ar fuanedd o 5 km/awr.

Yna mae e'n teithio am y awr ar fuanedd o 10 km/awr.

O ran y daith gyfan, mae e'n teithio 35 km ar fuanedd cyfartalog o 7 km/awr.

Cyfrifwch werthoedd x ac y.

8 Yn ystod un wythnos, mae Liz yn gweithio 35 awr ar ei chyfradd cyflog sylfaenol ac 12 awr ar ei chyfradd goramser. Am hyn, mae'n cael ei thalu £428.40.

Yn ystod wythnos wahanol, mae Liz yn gweithio 40 awr ar ei chyfradd cyflog sylfaenol ac 8 awr ar ei chyfradd goramser. Am hyn, mae'n cael ei thalu £425.60.

  a Cyfrifwch gyfradd cyflog sylfaenol Liz.

  b Cyfrifwch gymhareb y gyfradd cyflog sylfaenol i'r gyfradd goramser.

9 Prynodd dau berson addurniadau Nadolig unfath o'r un siop.

Talodd un £65.60 am 200 o rubanau a 220 o addurniadau coeden.

Talodd y llall £63.30 am 210 o rubanau a 200 o addurniadau coeden.

Beth fyddai cost prynu 200 o rubanau a 200 o addurniadau coeden o'r siop hon?

10 Mae'r pwyntiau (2, 2.5) a (6, –2.5) ar y llinell sydd â'r hafaliad $ax + by = c$.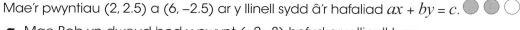

  a Mae Bob yn dweud bod y pwynt (–2 , 8) hefyd ar y llinell hon.

    Ydy Bob yn gywir?

  b Ysgrifennwch

    i graddiant y llinell hon

    ii cyfesurynnau'r rhyngdoriadau ar yr echelinau.

Algebra Llinyn 4 Dulliau algebraidd Uned 5 Defnyddio graffiau i ddatrys hafaliadau cydamserol

YS — YMARFER SGILIAU   **DH** — DATBLYGU HYDER   **DP** — DATRYS PROBLEMAU   **DA** — DULL ARHOLIAD

DH **1** **a** Lluniadwch graffiau $y = 2x + 3$ ac $y = 3 - x$ ar yr un pâr o echelinau. ●●○

b Ysgrifennwch gyfesurynnau'r pwynt lle mae'r ddwy linell yn croestorri. ●●○

c Gwiriwch eich ateb i ran **b** drwy ddatrys y ddau hafaliad gan ddefnyddio algebra. ●●○

DH **2** **a** Lluniadwch graffiau $2x + y = 3$ ac $x - 2y = 4$ ar yr un pâr o echelinau. ●●○

b Ysgrifennwch gyfesurynnau'r pwynt lle mae'r ddwy linell yn croestorri. ●●○

c Defnyddiwch algebra i wirio eich ateb i ran **b**. ●●○

ch Cyfrifwch arwynebedd y rhanbarth sydd â'r llinellau $2x + y = 3$ ac $x - 2y = 4$ a'r echelin-y yn ffin iddo. ●●○

DP **3** Mae cwmnïau tacsi yn codi tâl sefydlog plws cost ychwanegol am bob ●●○
DA milltir.

Tacsis Toni	Cabiau Colin
£2.50 plws £1.20 am bob milltir.	£5.00 plws 75c am bob milltir.

a Ar yr un pâr o echelinau, lluniadwch graffiau i ddangos cost, £C, taith o x milltir ar gyfer pob cwmni tacsis.

b Pa wybodaeth ddefnyddiol mae pwynt croestoriad y ddau graff yn ei rhoi i chi?

c Mae Harry eisiau teithio 7 milltir mewn tacsi. Pa gwmni byddech chi'n ei argymell?

DH **4** Drwy luniadu graffiau, darganfyddwch ddatrysiadau bras ●●○
DA $15x + 8y = 60$
$4x - 9y = 54$

YS **5** Hafaliad y llinell l yw $x + y = 5$.
Hafaliad y llinell m yw $y = 3x + 3$.
Hafaliad y llinell n yw $y = x + 1$.
Drwy edrych ar y graff, datryswch
bob pâr o hafaliadau cydamserol.

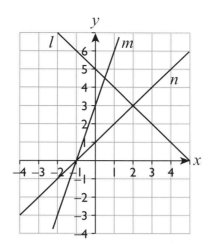

a $x + y = 5$
$y = x + 1$

b $y = 3x + 3$
$y = x + 1$

c $x + y = 5$
$y = 3x + 3$

DP **DA** **6** Mae dau gar yn teithio tuag at ei gilydd ar hyd ffordd syth.
Mae'r pellter, p metr, o O ar ôl a eiliad yn cael ei roi ar gyfer pob car gan

| Car A | $p = 10 + 30a$ | Car B | $p = 120 - 20a$ |

a Ar yr un echelinau, lluniadwch graffiau i ddangos y wybodaeth hon.

b Defnyddiwch eich graffiau i helpu i ateb y cwestiynau canlynol.

i Faint o'r gloch oedd y ddau gar yr un pellter o O?

ii Pa mor bell o O oedd y ceir ar yr amser hwn?

DP **DA** **7** Mae'r graff yn dangos buanedd, v metr
yr eiliad, car ar ôl t eiliad.

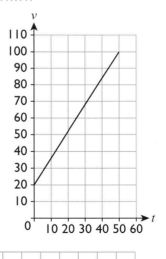

a Ysgrifennwch hafaliad y graff hwn ar y ffurf
$v = u + at$, lle mai cysonion yw u ac a.

b Mae buanedd ail gar yn cael ei roi gan yr
hafaliad $v = 80 - 2.5t$. Tynnwch y llinell hon
ar gopi o'r graff.

c **i** Ar ôl faint o eiliadau mae'r ddau gar yn
teithio ar yr un buanedd?

ii Amcangyfrifwch y buanedd hwn.

YS **8** **a** Ysgrifennwch hafaliad y llinell syth
sy'n mynd trwy

i A ac C **ii** D a B.

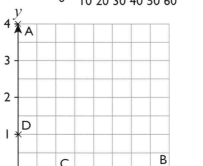

b Ysgrifennwch gyfesurynnau
pwynt croestoriad y ddau hafaliad
yn rhan **a**.

c Defnyddiwch algebra i wirio eich
ateb i ran **b**.

81

Algebra Llinyn 4 Dulliau algebraidd Uned 6 Datrys anhafaleddau llinol mewn dau newidyn

YS — YMARFER SGILIAU   DH — DATBLYGU HYDER   DP — DATRYS PROBLEMAU   DA — DULL ARHOLIAD

YS **1** Ysgrifennwch yr anhafaledd sy'n cael ei ddiffinio gan y rhanbarth sydd wedi'i dywyllu ym mhob un o'r diagramau canlynol.

a

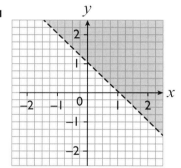

b

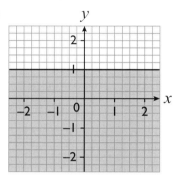

c

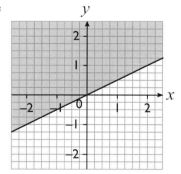

ch

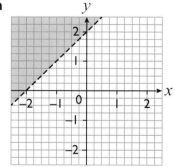

DH **2** Lluniadwch ddiagram i ddangos y rhanbarth sy'n cael ei ddiffinio gan
DA yr anhafaleddau.

$x + y \leq 4$ $y < 3$ $x \geq -1$ $y > x$

3 **a** Ysgrifennwch y tri anhafaledd sy'n diffinio'r rhanbarth canlynol sydd wedi'i dywyllu.

b Darganfyddwch werth mwyaf $x + y$ yn y rhanbarth hwn.

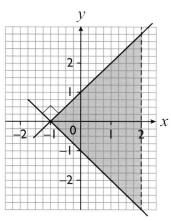

4 Mae rhanbarth A yn cael ei ddiffinio gan yr anhafaleddau $x + y \geq 3, x \leq 3$ ac $y \leq x + 1$.

a Dangoswch y rhanbarth hwn ar ffurf diagram.

b Mae'r pwyntiau (a, b) yn bwyntiau y tu mewn i A, lle mai cyfanrifau yw a a b. Ysgrifennwch gyfesurynnau pob un o'r pwyntiau hyn.

5 Darganfyddwch arwynebedd, mewn unedau sgwâr, y rhanbarth sy'n cael ei ddiffinio gan yr anhafaleddau $2x + 3y \leq 6, y > x + 1$ ac $x \geq -1$.

6 Mae Andy yn chwarae mewn twrnamaint tennis. Y nifer mwyaf o gemau mae e'n gallu eu chwarae yw 16. Mae Andy yn ennill (E) o leiaf tair gwaith cymaint o gemau ag mae'n eu colli (C). Mae e'n ennill mwy na saith gêm.

a Ysgrifennwch gymaint o anhafaleddau ag y gallwch mewn E ac C.

b Dangoswch eich anhafaleddau mewn diagram.

c Os yw Andy yn cael 2 bwynt am ennill ac 1 pwynt am golli, cyfrifwch y nifer lleiaf o bwyntiau gallai ef ei gael pe bai'n chwarae mewn 10 gêm yn unig.

7 Mae drôr gan Jamil sy'n cynnwys 15 pâr o hosanau. Mae ganddo fwy o hosanau du na hosanau gwyn. Mae'r gwahaniaeth rhwng nifer yr hosanau du a nifer yr hosanau gwyn yn llai nag 12.

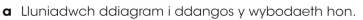

a Lluniadwch ddiagram i ddangos y wybodaeth hon.

b Mae mam Jamil yn dweud bod ganddo bedwar pâr o hosanau gwyn a naw pâr o hosanau du yn y drôr. Ydy hi'n iawn?

8 Mae gan y ffermwr Ted rai moch a rhai cywion ieir ar ei fferm. Mae'r rhanbarth sydd wedi'i dywyllu yn y diagram yn dangos y nifer posibl o foch, m, a chywion ieir, i.

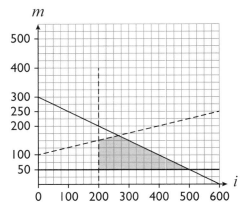

a Disgrifiwch yn llawn, mewn geiriau, y perthnasoedd rhwng nifer y moch a nifer y cywion ieir ar fferm Ted.

b Mae'r rhanbarth sydd wedi'i dywyllu yn y diagram yn dangos y niferoedd posibl o foch a chywion ieir. Cyfrifwch gyfanswm mwyaf posibl y nifer o foch a chywion ieir ar fferm Ted.

 9 Datblygwr eiddo yw Pete. Mae e'n prynu t tŷ teras ac a fflat. Dydy Pete ddim yn prynu mwy nag wyth eiddo. Mae Pete eisiau cael o leiaf dau mwy o fflatiau na thai teras.

a Ysgrifennwch 4 anhafaledd sy'n ymwneud â t ac a.

b Dangoswch yr anhafaleddau hyn mewn diagram.

c Mae pob tŷ teras yn costio £120000 ac mae pob fflat yn costio £150000. Cyfrifwch y swm mwyaf o arian bydd yn rhaid i Pete ei wario.

Algebra Llinyn 4 Dulliau algebraidd Uned 7 Profi unfathiannau

YS — **YMARFER SGILIAU**   **DH** — **DATBLYGU HYDER**   **DP** — **DATRYS PROBLEMAU**   **DA** — **DULL ARHOLIAD**

YS **DA** **1 a** Dangoswch fod y gwahaniaeth rhwng dau rif cysefin weithiau yn rhif cysefin ac weithiau ddim.

   b Darganfyddwch ddau rif cysefin lle **nad** yw swm eu sgwariau yn eilrif.

DP **DA** **2** Yma mae triongl ABC. Mae pob ongl yn cael ei mesur mewn graddau.

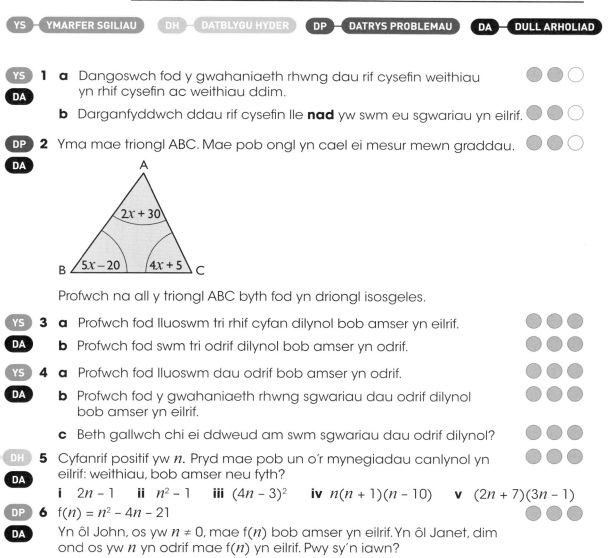

Profwch na all y triongl ABC byth fod yn driongl isosgeles.

YS **DA** **3 a** Profwch fod lluoswm tri rhif cyfan dilynol bob amser yn eilrif.

   b Profwch fod swm tri odrif dilynol bob amser yn odrif.

YS **DA** **4 a** Profwch fod lluoswm dau odrif bob amser yn odrif.

   b Profwch fod y gwahaniaeth rhwng sgwariau dau odrif dilynol bob amser yn eilrif.

   c Beth gallwch chi ei ddweud am swm sgwariau dau odrif dilynol?

DH **DA** **5** Cyfanrif positif yw n. Pryd mae pob un o'r mynegiadau canlynol yn eilrif: weithiau, bob amser neu fyth?

   i $2n - 1$ **ii** $n^2 - 1$ **iii** $(4n - 3)^2$ **iv** $n(n + 1)(n - 10)$ **v** $(2n + 7)(3n - 1)$

DP **DA** **6** $f(n) = n^2 - 4n - 21$

Yn ôl John, os yw $n \neq 0$, mae $f(n)$ bob amser yn eilrif. Yn ôl Janet, dim ond os yw n yn odrif mae $f(n)$ yn eilrif. Pwy sy'n iawn?

7 Cyfanrifau yw n ac a. Profwch fod $(n - a)^2 - (n + a)^2$ bob amser yn eilrif sy'n gallu cael ei rannu â 4.

8 Dyma driongl.

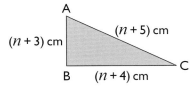

Os yw $n \neq 0$, profwch **nad** yw'r triongl ABC yn driongl ongl sgwâr.

9 a Dangoswch fod $(x - 4)^2 - (x + 1)^2 = 5(3 - 2x)$.

b Dangoswch fod $\dfrac{t^2 - 4}{t^2 + t - 2} = \dfrac{t - 2}{t - 1}$.

c Dangoswch fod $(n + 5)(n - 2)(n - 3) = n^3 - 19n + 30$.

Algebra Llinyn 5 Gweithio gyda mynegiadau cwadratig Uned 1 Ffactorio mynegiadau cwadratig

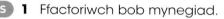

YS — YMARFER SGILIAU   **DH** — DATBLYGU HYDER   **DP** — DATRYS PROBLEMAU   **DA** — DULL ARHOLIAD

YS **1** Ffactoriwch bob mynegiad.

    a $x^2 + 2x$

    b $x^2 - 81$

    c $x^2 - 8x + 4x - 32$

    ch $x^2 - 9x + 14$

    d $x^2 + 3x - 40$

    dd $x^2 - 9$

DP **DA** **2** Gwnaeth Amir a Winona ffactorio $x^2 + 5x - 6$.

Ysgrifennodd Amir $x^2 + 5x - 6 = (x + 2)(x + 3)$.

Ysgrifennodd Winona $x^2 + 5x - 6 = (x + 2)(x - 3)$.

Eglurwch pam mae pob ateb yn anghywir a rhowch yr ateb cywir.

DP **DA** **3** Mae arwynebedd sgwâr yn cael ei roi gan y mynegiad $x^2 - 6x + 9$.

Ysgrifennwch fynegiad ar gyfer hyd ochr y sgwâr.

DP **DA** **4** Mae'r diagram yn dangos tri phetryal.

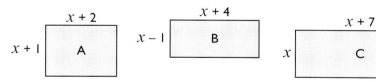

Mae arwynebedd pedwerydd petryal D yn gallu cael ei ddarganfod gan ddefnyddio'r hafaliad:

Arwynebedd D = Arwynebedd A − Arwynebedd B + Arwynebedd C.

Beth yw dimensiynau'r petryal D?

DH **5** Cyfrifwch bob un o'r canlynol. Peidiwch â defnyddio cyfrifiannell.

    a $101^2 - 99^2$ **b** $63^2 + 2 \times 63 \times 37 + 37^2$ **c** $9^4 - 1^4$

DP **DA** **6** Mae Bethan yn meddwl am rif, n.

Mae hi'n sgwario ei rhif, yn tynnu dwbl y rhif gwreiddiol o'r canlyniad ac yna'n tynnu 48.

Ysgrifennwch a symleiddiwch yn llawn fynegiad mewn n ar gyfer ei chanlyniad terfynol.

DP **DA** **7** Cyfaint y ciwboid sy'n cael ei ddangos yw $a^3 - 11a^2 + 30a$.

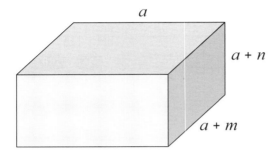

Cyfrifwch werthoedd m ac n, os yw $m > n$.

DP **DA** **8** Heb ddefnyddio cyfrifiannell, cyfrifwch arwynebedd y rhan sydd wedi'i thywyllu o'r siâp hwn.

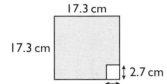

DP **DA** **9** Yn y ciwboid hwn:

mae arwynebedd yr wyneb blaen yn cael ei roi gan $p^2 + 17p + 70$

mae arwynebedd yr wyneb uchaf yn cael ei roi gan $p^2 + 11p + 28$.

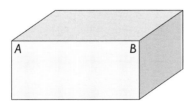

Ysgrifennwch fynegiad, yn nhermau p, ar gyfer hyd yr ymyl AB.

DP **DA** **10** Ffactoriwch yn llawn y mynegiad hwn.

$$\frac{x^2 + 5x - 24}{x^2 - 9x - 18}$$

MATHEMATEG YN UNIG

Algebra Llinyn 5 Gweithio gyda mynegiadau cwadratig Uned 2 Datrys hafaliadau trwy ffactorio

YS – YMARFER SGILIAU   **DH** – DATBLYGU HYDER   **DP** – DATRYS PROBLEMAU   **DA** – DULL ARHOLIAD

YS **1** Datryswch yr hafaliadau canlynol.

  a $(x + 1)(x + 2) = 0$

  b $(x - 4)(x - 5) = 0$

  c $x^2 + 9x = 0$

  ch $x^2 - 2x - 24 = 0$

  d $x^2 = 36 - 5x$

YS **2 a** Datrysiadau hafaliad cwadratig yw $x = 5$ ac $x = -3$.
      Ysgrifennwch yr hafaliad cwadratig.

  b Datrysiadau hafaliad cwadratig yw $y = -12$ ac $y = -7$.
      Ysgrifennwch yr hafaliad cwadratig.

DP
DA **3** Dyma gynnig Mnambi ar ddatrys $x^2 - x - 20 = 0$.

  $x^2 - x - 20 = 0$

  $(x - 5)(x + 4) = 0$

  $x = -5$ ac $x = 4$

  Eglurwch y camgymeriadau mae Mnambi wedi'u gwneud a rhowch y datrysiadau cywir.

DP
DA **4** Mae Rhodri yn meddwl am rif rhwng 1 a 10.
  Mae e'n sgwario'r rif ac yna'n tynnu ei rif gwreiddiol o'r canlyniad.
  Ei ateb terfynol yw 42.
  Beth oedd rhif gwreiddiol Rhodri?

DH
DA **5** Mae petryal yn mesur
  $(x + 1)$ cm wrth $(x + 2)$ cm.
  Arwynebedd y petryal yw 72 cm².
  Beth yw dimensiynau'r petryal?

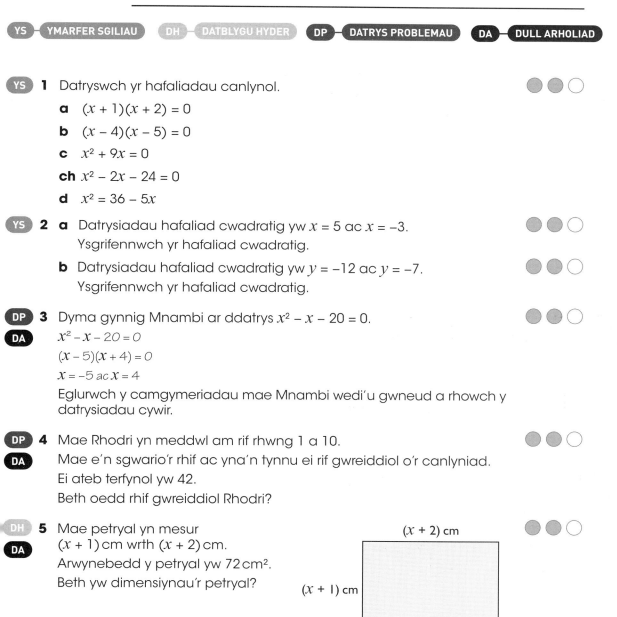

$(x + 2)$ cm

$(x + 1)$ cm

DP **DA** **6** Mae'r diagram yn dangos petryal a dau drapesiwm wedi'u lluniadu y tu mewn i sgwâr sydd â hyd ei ochrau yn 20 cm.

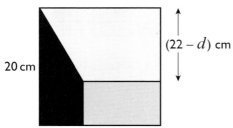

Arwynebedd y petryal yw 32 cm² ac mae'n cael ei roi gan $(d^2 - 4)$ cm².
Cyfrifwch arwynebedd pob trapesiwm.

DP **DA** **7** Mae'r siâp hwn wedi'i wneud o ddau driongl ongl sgwâr unfath.
Arwynebedd cyfan y siâp yw 135 cm².
Cyfrifwch hyd ochr fyrraf un o'r trionglau hyn.

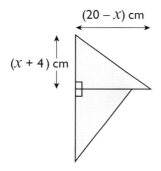

DP **DA** **8** Arwynebedd arwyneb cyfan y ciwboid yn y diagram yw 246 cm².
Cyfrifwch gyfaint y ciwboid.

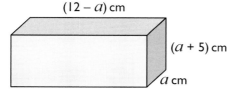

DP **DA** **9** Beth yw arwynebedd y triongl ongl sgwâr hwn?

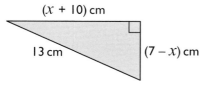

Algebra Llinyn 5 Gweithio gyda mynegiadau cwadratig Uned 3 Ffactorio mynegiadau cwadratig mwy anodd

YS — YMARFER SGILIAU   **DH** — DATBLYGU HYDER   **DP** — DATRYS PROBLEMAU   **DA** — DULL ARHOLIAD

YS **1** Ffactoriwch y canlynol.

    a $6x^2 + 2x - 20$

    b $6x^2 - 22x + 20$

    c $6x^2 - 58x - 20$

    ch $6x^2 - 26x + 20$

    d $6x^2 - 34x + 20$

    dd $6x^2 - 26x - 20$

YS **2** Datryswch y canlynol.

    a $2x^2 + 5x - 3 = 0$

    b $3x^2 - 27 = 0$

    c $3x^2 + 5x = 2$

    ch $(2x - 1)^2 = 3x^2 - 2$

DP **DA** **3** Mae'r diagram yn dangos 4 teilsen betryal unfath wedi'u gosod mewn patrwm, o amgylch sgwâr. Arwynebedd pob petryal yw 80 cm².

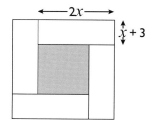

Darganfyddwch arwynebedd y sgwâr llwyd.

DH **DA** **4** Ffactoriwch $4(x + 2)^2 - 8(x + 2) - 5$.

DH **5** Symleiddiwch y canlynol.

a $\dfrac{x^2 - 16}{2x^2 - 9x + 4}$

b $\dfrac{x^3 - 9x^2 + 20x}{2x^3 - 6x^2 - 20x}$

c $\dfrac{6x^2 - 2x}{2x^2 - 7x - 4} \div \dfrac{6x^2 + x - 1}{-2x^2 + 9x - 4}$

DH **6** Ffactoriwch y canlynol.

a $6ac + bd + 3bc + 2ad$

b $6a^3 - 12b^2 - 9ab + 8a^2b$

c $x^4 - 1$

DP **DA** **7** Mae dyn bedair gwaith oed ei fab. Lluoswm eu hoedrannau 5 mlynedd yn ôl oedd 234.

a Os x yw oed y mab, dangoswch fod $4x^2 - 25x - 209 = 0$.

b Datryswch $4x^2 - 25x - 209 = 0$ i ddarganfod eu hoedrannau presennol.

DP **DA** **8** Mae carreg yn cael ei gollwng i lawr ffynnon. Mae'r pellter, mewn metrau, mae'r garreg wedi disgyn yn cael ei roi gan y mynegiad $6t + 5t^2$. Yma t yw'r amser mewn eiliadau.

Faint o amser mae'n ei gymryd i'r garreg gyrraedd dyfnder o 155 metr?

DP **DA** **9** Mae'r diagram yn dangos darlun y tu mewn i ffrâm. Mae'r darlun ar siâp petryal, 10 cm wrth 8 cm. Lled y ffrâm yw x cm yr holl ffordd o amgylch y darlun. Arwynebedd llwyd y ffrâm yw 63 cm².

a Dangoswch fod $4x^2 + 36x - 63 = 0$.

b Datryswch $4x^2 + 36x - 63 = 0$ a rhowch ddimensiynau rhan allanol y ffrâm.

DP **DA** **10** Triongl ongl sgwâr yw hwn.

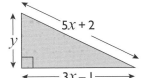

$y = \sqrt{15}$

Os yw pob mesuriad mewn centimetrau, cyfrifwch berimedr y triongl.

Algebra Llinyn 5 Gweithio gyda mynegiadau cwadratig Uned 4 Y fformiwla gwadratig

YS – YMARFER SGILIAU **DH** – DATBLYGU HYDER **DP** – DATRYS PROBLEMAU **DA** – DULL ARHOLIAD

YS **1** $ax^2 + bx + c = 0$ yw ffurf gyffredinol hafaliad cwadratig.
Ysgrifennwch werthoedd a, b ac c ar gyfer yr hafaliadau canlynol.

   a $x^2 + 3x - 7 = 0$ **b** $5x^2 - x + 20 = 0$ **c** $5 - 2x - x^2 = 0$

   ch $x^2 = 5x + 4$ **d** $5(x - 2x^2) = 9$

YS **2** **i** Ar gyfer pob un o'r hafaliadau cwadratig yng Nghwestiwn 1, nodwch a yw $b^2 - 4ac < 0$, $b^2 - 4ac = 0$ neu $b^2 - 4ac > 0$.

   ii Beth sy'n gallu cael ei ddweud am wreiddiau hafaliad cwadratig pan fo $b^2 - 4ac < 0$, $b^2 - 4ac = 0$ neu $b^2 - 4ac > 0$?

DH **3** Datryswch bob un o'r hafaliadau cwadratig yng Nghwestiwn 1.

DP **DA** **4** Dimensiynau blwch agored yw 5 cm wrth x cm wrth $(x + 1.5)$ cm. Arwynebedd arwyneb y blwch yw 37 cm².

Cyfrifwch werth x.

DP **DA** **5** Mae'r diagram yn dangos triongl ongl sgwâr. Mae pob mesuriad mewn centimetrau.

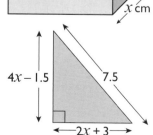

Cyfrifwch arwynebedd y triongl hwn.

DH **6** Datryswch y canlynol.

a $\dfrac{3}{x} = \dfrac{x-7}{5}$ b $\dfrac{2m+3}{m} = \dfrac{1-m}{5}$

c $\dfrac{n+5}{2n} = \dfrac{n-4}{9}$ **ch** $(4w-3)(3w+2) = (5w+2)(2w+1)$

DP **DA** **7** Mae'r diagram yn cynrychioli llwybr crwn o amgylch pwll crwn. Lled y llwybr yw 2 fetr. Mae arwynebedd y llwybr yn hanner arwynebedd y pwll. Dyfnder cyfartalog y pwll yw 1.5 metr.

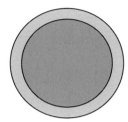

Cyfrifwch gyfaint y pwll.

DP **DA** **8** Mae Sam yn cerdded pellter o 15 km ar fuanedd cyfartalog o v km/awr. Mae Jane yn cerdded yr un pellter o 15 km ar fuanedd cyfartalog o 2 km/awr yn gyflymach na Sam. Mae Jane yn cymryd 90 munud yn llai na Sam.
Cyfrifwch fuanedd cyfartalog Sam.

DP **DA** **9** Mae'r diagram yn dangos trapesiwm.

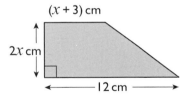

$(x+3)$ cm

$2x$ cm

12 cm

Cyfrifwch berimedr y trapesiwm os yw ei arwynebedd yn 30 cm².

DP **DA** **10 a** Cyfanrif yw n. Mae swm n a chilydd n yn gyfanrif hefyd. Darganfyddwch n.

b Cyfanrif yw p. Swm p a chilydd p yw 2.5. Darganfyddwch p.

c Swm rhif a chilydd y rhif yw 6. Pa rif posibl allai hwn fod?

MATHEMATEG YN UNIG

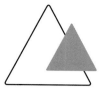

Geometreg a Mesurau Llinyn 1
Unedau a graddfeydd Uned 11
Dimensiynau fformiwlâu

YS – **YMARFER SGILIAU**   **DH** – **DATBLYGU HYDER**   **DP** – **DATRYS PROBLEMAU**   **DA** – **DULL ARHOLIAD**

DH **1** Hydoedd yw p, q ac r.
Nodwch a yw pob un o'r canlynol yn:
hyd   arwynebedd   cyfaint   dim o'r rhain.

a $pq + qr$ **b** $4p + 3rq$

c $q^2 + r^2$ **ch** $\pi r + 4q$

DH **2** Hydoedd yw m, n a p.
Nodwch a yw pob un o'r canlynol yn:
hyd   arwynebedd   cyfaint   dim o'r rhain.

a $p^2m + m^2n$ **b** $4m - 3p^2$

c $6p^2 + \pi n^2$ **ch** $\pi p^3 + 4m^2n$

DH **3** Hydoedd yw e, f a g.
Nodwch a yw pob un o'r canlynol yn:
hyd   arwynebedd   cyfaint   dim o'r rhain.

a $\dfrac{g}{e} + f$ **b** $\dfrac{4e^2 + 3f^2}{g}$

c $\dfrac{6g^3 + \pi e^3}{f^2}$ **ch** $\dfrac{e^3 + 4f^3}{g}$

DH **4** Hydoedd yw x, y a z.
Ysgrifennwch ddimensiynau pob un o'r canlynol.

a $\sqrt{(xy)}$ **b** $\sqrt{(x^2 - y^2)}$

c $\dfrac{(xy)^2}{z}$ **ch** $\dfrac{\pi yz^2}{\sqrt{(xz)}}$

DH **5** Hydoedd yw r a h.

Mae un o'r mynegiadau canlynol yn cynrychioli cyfaint.

Pa un yw hwnnw?

a $r^2h + \pi rh$

b $\dfrac{3rh^2}{4} - 4r^2\sqrt{h^2}$

c $4^2r^2h - 3^2rh$

ch $r^3 + \dfrac{h^3}{h}$

DP **6** Mae siâp yn cael ei wneud drwy gysylltu hemisffer â silindr.

Radiws yr hemisffer a'r silindr yw r cm.

Uchder y silindr yw u cm.

a Pa un o'r canlynol allai fod yn fynegiad ar gyfer cyfaint cyfan y siâp?

$\dfrac{2}{3}\pi r^2 + \pi r^2 u$ $\dfrac{2}{3}\pi r^3 + \pi r^2 u$ $\dfrac{2}{3}\pi r^3 + 2\pi ru$

b Rhowch reswm dros eich ateb yn seiliedig ar ddimensiynau pob un o'r mynegiadau.

DP **7** Mae Gareth yn dweud mai arwynebedd arwyneb y siâp 3D mae wedi'i wneud yw $rh + 2\pi h + \dfrac{1}{4}r^2$. Yma hydoedd yw r a h.

a Eglurwch sut rydych chi'n gwybod bod mynegiad Gareth ar gyfer arwynebedd arwyneb ei siâp 3D yn anghywir.

b Dim ond un o dermau mynegiad Gareth sy'n anghywir. Pa derm yw hwn? Sut rydych chi'n gwybod?

DP **8** Mae Glenda yn dweud bod cyfaint y siâp mae hi wedi'i wneud

o glai yn cael ei roi gan $\pi r^2h + \pi rh^2 + \dfrac{(rh)^2}{rh}$. Yma hydoedd yw r a h.

A allai mynegiad Glenda fod yn gywir o bosibl? Rhowch reswm dros eich ateb.

DP **9** Mae Harri yn gwybod bod p yn cynrychioli hyd a bod r yn cynrychioli arwynebedd.

Mae rhywun yn rhoi'r fformiwla ganlynol iddo.

$G = \dfrac{1}{2}pr + p^2\sqrt{r}$

Mae angen i Harri benderfynu a yw'r fformiwla mae wedi'i chael yn mynd i gyfrifo hyd, arwynebedd neu gyfaint.

Eglurwch i Harri sut rydych chi'n gwybod beth allai'r fformiwla hon gael ei defnyddio i'w gyfrifo (hyd, arwynebedd neu gyfaint), gan roi rhesymau manwl dros eich ateb.

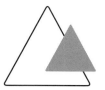

Geometreg a Mesurau
Llinyn 1 Unedau a graddfeydd
Uned 12 Gweithio gydag unedau cyfansawdd

YS – YMARFER SGILIAU   **DH** – DATBLYGU HYDER   **DP** – DATRYS PROBLEMAU   **DA** – DULL ARHOLIAD

YS **DA** **1** Mae hadau gwair yn cael eu gwerthu mewn tri maint o flwch. ● ○ ○
Blwch o ba faint sy'n rhoi'r gwerth gorau am arian?

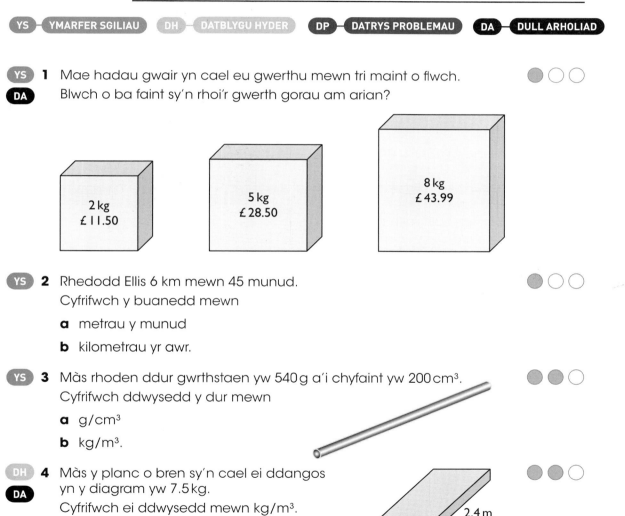

2 kg
£11.50

5 kg
£28.50

8 kg
£43.99

YS **2** Rhedodd Ellis 6 km mewn 45 munud. ● ○ ○
Cyfrifwch y buanedd mewn

a metrau y munud

b kilometrau yr awr.

YS **3** Màs rhoden ddur gwrthstaen yw 540 g a'i chyfaint yw 200 cm³. ● ● ○
Cyfrifwch ddwysedd y dur mewn

a g/cm³

b kg/m³.

DH **DA** **4** Màs y planc o bren sy'n cael ei ddangos ● ● ○
yn y diagram yw 7.5 kg.
Cyfrifwch ei ddwysedd mewn kg/m³.

2.4 m
3 cm
15 cm

97

5 Mae'r graff yn dangos taith Myra mewn car o'i chartref i dŷ ei mam.

Cyfrifwch y buanedd cyfartalog ar gyfer y daith hon.

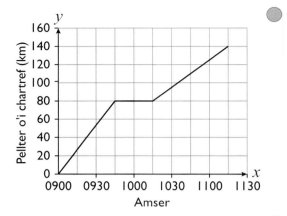

6 Mewn purfa olew, mae olew yn cael ei storio mewn tanciau fel yr un sy'n cael ei ddangos.

Diamedr y tanc yw 20 m.

Dyfnder yr olew yn y tanc yw 5 m.

Dwysedd yr olew yw 800 kg/m³.

Mae tancer olew yn gallu dal hyd at 50 000 kg o olew.

Faint o'r tanceri olew hyn sy'n angenrheidiol i wacáu'r holl olew o'r tanc?

Dangoswch eich holl waith cyfrifo.

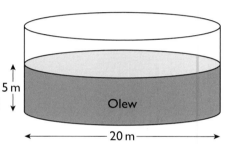

7 Mae'r efydd sy'n cael ei ddefnyddio i wneud clychau yn aloi o gopr a thun yn ôl y gymhareb 4:1 yn ôl màs.

Dwysedd copr yw 8.96 g/cm³.

Dwysedd tun yw 7.365 g/cm³.

a Màs cloch yw 2 dunnell fetrig. Cyfrifwch

   i màs copr

   ii màs tun.

b Cyfrifwch ddwysedd yr efydd.

Geometreg a Mesurau Llinyn 2
Priodweddau siapiau Uned 9
Trionglau cyfath a phrawf

MATHEMATEG YN UNIG

YS — YMARFER SGILIAU   DH — DATBLYGU HYDER   DP — DATRYS PROBLEMAU   DA — DULL ARHOLIAD

YS 1 Nodwch a yw'r trionglau ym mhob pâr yn gyfath. ● ● ○
Os ydyn nhw, rhowch reswm.

a
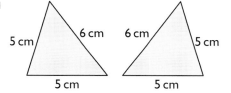

b
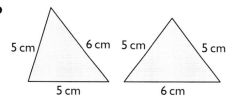

c
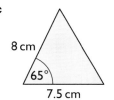

ch
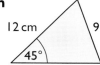

d
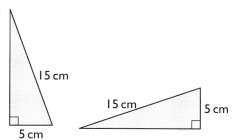

dd
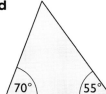

e
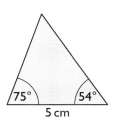

f
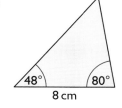
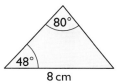

DH **DA** **2** Mae'r diagram yn dangos paralelogram, PQRS.
Profwch fod y triongl PRS a'r triongl PQR yn gyfath.

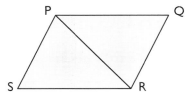

DH **DA** **3** Eglurwch pam nad yw'r trionglau PQR ac XYZ yn gyfath.

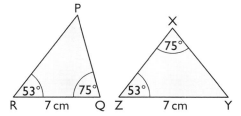

DP **DA** **4** Hecsagon rheolaidd yw ABCDEF.
Profwch fod BF = BD.

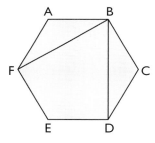

DH **DA** **5** Triongl isosgeles yw PQR gyda PQ = PR.
Mae PS yn haneru'r ongl P a'r ochr RQ.
Profwch fod y trionglau PQS a PSR yn gyfath.

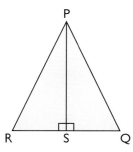

DH
DA
6 Pentagon rheolaidd yw ABCDE.
Petryal yw BFGC.
Profwch fod y trionglau ABF a
DCG yn gyfath.

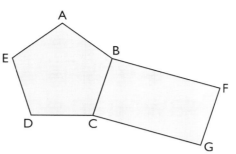

DP
DA
7 Yn y diagram hwn
AD = CD
$\angle A = \angle C = 90°$
Profwch fod DB yn haneru $\angle ABC$.

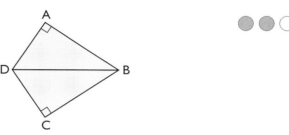

DP
DA
8 Yn y triongl EAD
EA = ED
$\angle AEB = \angle CED$.
Eglurwch pam mae AB = CD.

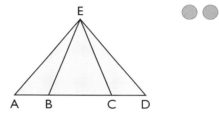

DP
DA
9 Trapesiwm isosgeles yw ABCE.
BC = BD
Mae AB yn baralel i EDC.
Paralelogram yw ABDE.
Profwch fod y trionglau ABD ac ADE
yn gyfath.
Ysgrifennwch unrhyw dybiaethau rydych
chi wedi'u gwneud.

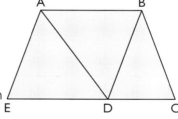

DP
DA
10 Triongl ongl sgwâr yw ABC.
Sgwariau yw ABED ac
ACFG.
Profwch fod y trionglau
ABG ac ACD yn gyfath.

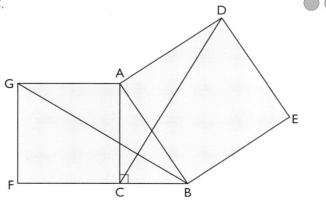

Geometreg a Mesurau Llinyn 2 Priodweddau siapiau Uned 10 Prawf gan ddefnyddio trionglau cyflun a chyfath

YS – YMARFER SGILIAU   **DH** – DATBLYGU HYDER   **DP** – DATRYS PROBLEMAU   **DA** – DULL ARHOLIAD

YS **1** Ar gyfer pob rhan, nodwch a yw'r ddau driongl yn gyflun neu'n gyfath. ●●○
Rhowch reswm dros bob ateb.

a

b

c

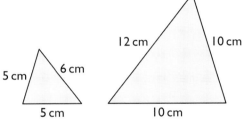

ch

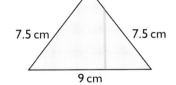

d

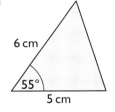

dd

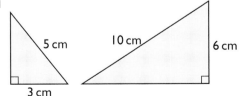

e

f

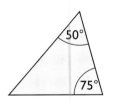

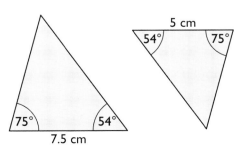 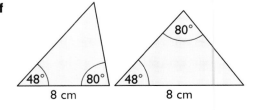

DH **2** Llinellau syth yw ABD ac ACE.

Mae BC yn baralel i DE.

Profwch fod y trionglau ABC ac ADE yn gyflun.

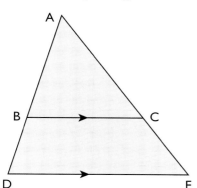

DH **3** Mae AB yn baralel i PQ.

Profwch fod y trionglau ABX a PQX yn gyflun.

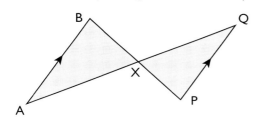

DH **DA** **4** Dangoswch fod y triongl DEF yn gyflun â'r triongl GHJ.

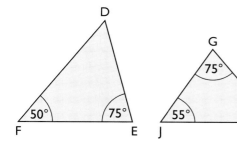

DP **DA** **5** Mae PQRS, WXY a DEFG yn llinellau paralel.

RX = XE

Profwch fod y trionglau QRX ac EFX yn gyfath.

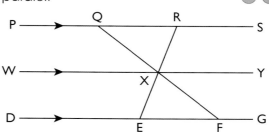

103

DP
DA

6 Mae PQRS, WXY a DEFG yn llinellau paralel.

RX : XE = 2 : 3

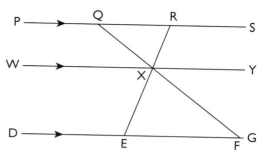

a Profwch fod y trionglau QRX ac EFX yn gyflun.

b Sawl gwaith yn hirach na QX yw FQ?

DP
DA

7 Paralelogram yw ABCD.

Mae'r croesliniau yn croestorri yn X.

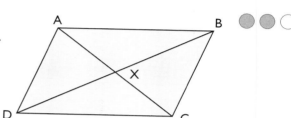

a Profwch fod y trionglau AXD a BXC yn gyfath.

b Dangoswch mai X yw canolbwynt AC a BD.

DP
DA

8 Dangoswch fod PQ yn baralel i RS.

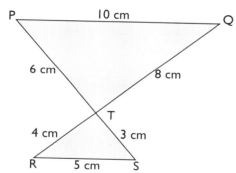

DP

9 Paralelogramau yw PQRT ac UVST. Llinellau syth yw PUT, TSR a TVQ.

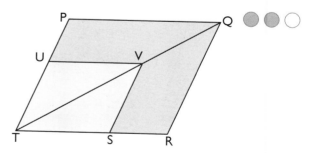

a Profwch fod y triongl UVT yn gyflun â'r triongl PQT.

b O wybod bod PU : UT = 2 : 3, darganfyddwch werth QV : QT.

DP

10 Paralelogram yw XZBC. Llinellau syth yw AXC ac AYB.

AX : XC = 5 : 2

Dangoswch fod AY : AB = 5 : 7.

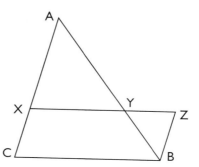

MATHEMATEG YN UNIG

Geometreg a Mesurau
Llinyn 2 Priodweddau siapiau
Uned 11 Theoremau'r cylch

YS — YMARFER SGILIAU   DH — DATBLYGU HYDER   DP — DATRYS PROBLEMAU   DA — DULL ARHOLIAD

YS 1 Darganfyddwch faint yr ongl sydd â llythyren ym mhob diagram.
Rhowch reswm dros bob un o'ch atebion.

a

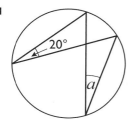

b

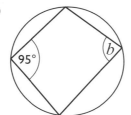

c

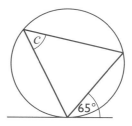

YS 2 Mae pob cylch yn y cwestiwn hwn â chanol O. Darganfyddwch
faint yr ongl sydd â llythyren. Rhowch reswm dros bob un o'ch atebion.

a

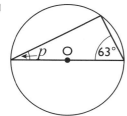

b

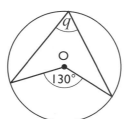

c

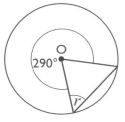

DH 3
DA
Mae'r diagram yn dangos cylch canol O. Tangiadau i'r cylch yw
PA a PB.

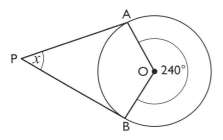

Darganfyddwch faint ongl x.

DP
DA

4 Mae P, Q, R ac S yn bwyntiau ar gylchyn cylch canol O. Mae ongl PRQ = 50°.

Darganfyddwch faint ongl y.
Rhowch resymau dros bob cam o'ch gwaith cyfrifo.

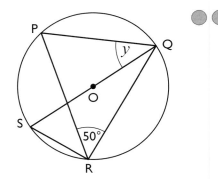

DH
DA

5 Mae D, E ac F yn bwyntiau ar gylchyn cylch canol O. Mae ongl DOF = 140°.

Cyfrifwch faint ongl g.
Rhowch resymau dros bob cam o'ch gwaith cyfrifo.

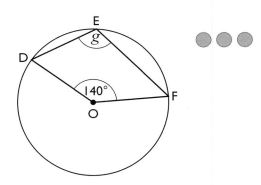

DP
DA

6 Tangiadau i'r cylch canol O yw TP a TR.

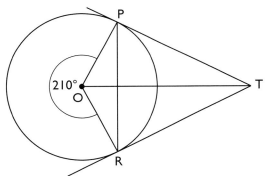

Darganfyddwch faint ongl PTR. Rhowch resymau dros bob cam o'ch gwaith cyfrifo.

DP
DA

7 Mae A, B ac C yn bwyntiau ar y cylch canol O. Mae ongl ABC yn $x°$.
Tangiadau i'r cylch yw TA a TC.

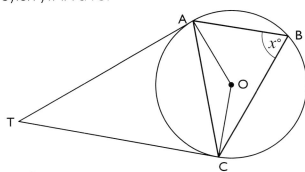

Profwch fod TA = TC.

DP
DA

8 Mae B, C, D ac E yn bwyntiau ar gylchyn y cylch canol O. Mae EB yn baralel i DC. Tangiad i'r cylch yn D yw XD.

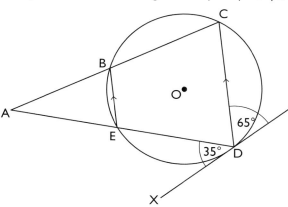

Gan ddefnyddio'r wybodaeth yn y diagram profwch fod y triongl ABE yn isosgeles.

DP
DA

9 Tangiadau i'r cylch yn P, Q ac R yn eu tro yw AB, BC ac CA.
Mae ongl B = $2x°$. Mae ongl C = $2y°$.

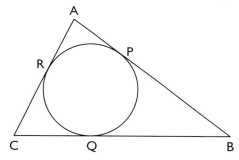

Darganfyddwch fynegiad yn nhermau x ac y ar gyfer maint ongl PQR.

DP
DA

10 Radiws y cylch canol O yw 7 cm. Radiws y cylch canol P yw 10 cm.
Mae AB yn dangiad i'r ddau gylch.

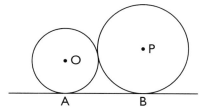

a Darganfyddwch hyd AB.

b Pa dybiaethau rydych chi wedi'u gwneud yn eich datrysiad?

Geometreg a Mesurau
Llinyn 3 Mesur siapiau Uned 5
Theorem Pythagoras

YS — YMARFER SGILIAU   DH — DATBLYGU HYDER   DP — DATRYS PROBLEMAU   DA — DULL ARHOLIAD

YS **1** Cyfrifwch hyd yr hypotenws ym mhob triongl.
Rhowch eich atebion yn gywir i 1 lle degol.

a

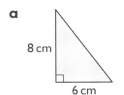

8 cm
6 cm

b

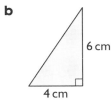

6 cm
4 cm

c

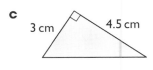

3 cm   4.5 cm

YS **2** Cyfrifwch hyd yr ochr anhysbys ym mhob triongl.
Rhowch eich ateb yn gywir i 2 le degol.

a

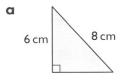

6 cm   8 cm

b

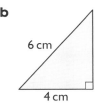

6 cm
4 cm

c

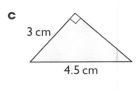

3 cm
4.5 cm

DH **3** Heb ddefnyddio cyfrifiannell, cyfrifwch hyd yr ochr anhysbys ym mhob triongl.

a

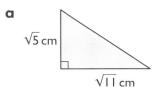

√5 cm
√11 cm

b

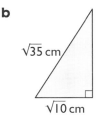

√35 cm
√10 cm

c

√44 cm
12 cm

DH **4** Pa rai o'r tri thriongl sy'n drionglau ongl sgwâr?
Eglurwch eich ateb.

a

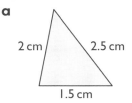

2 cm   2.5 cm
1.5 cm

b

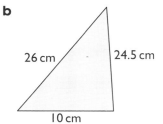

26 cm   24.5 cm
10 cm

c

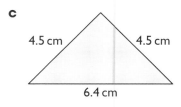

4.5 cm   4.5 cm
6.4 cm

Geometreg a Mesurau
Llinyn 3 Mesur siapiau
Uned 7 Y rheol cosin

 YMARFER SGILIAU   DATBLYGU HYDER   DP DATRYS PROBLEMAU   DA DULL ARHOLIAD

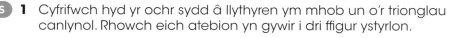

YS **1** Cyfrifwch hyd yr ochr sydd â llythyren ym mhob un o'r trionglau canlynol. Rhowch eich atebion yn gywir i dri ffigur ystyrlon.

a
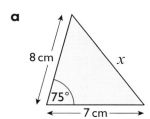

8 cm   x

75°

7 cm

b
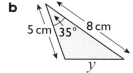

5 cm 35° 8 cm

y

c
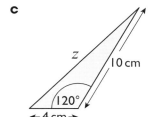

z   10 cm

120°

4 cm

YS **2** Triongl yw PQR.

DA

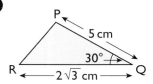

P

5 cm

30°

R   2√3 cm   Q

Cyfrifwch hyd yr ochr PR. Rhowch eich ateb ar ffurf swrd.

YS **3** Cyfrifwch faint yr onglau sydd â llythyren yn y diagramau canlynol. Rhowch eich atebion yn gywir i un lle degol.

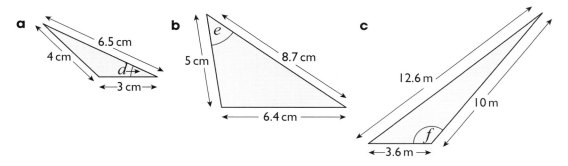

a

6.5 cm

4 cm

d

3 cm

b

e

5 cm   8.7 cm

6.4 cm

c

12.6 m

10 m

f

3.6 m

DH
DA
4 Mae Ipswich 20 milltir i'r dwyrain o Sudbury. Mae Colchester 18.5 milltir ar gyfeiriant o 230° oddi wrth Ipswich.

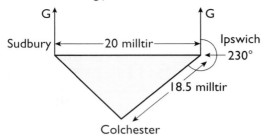

Darganfyddwch bellter Sudbury o Colchester.

DH
DA
5 Perimedr y triongl isosgeles hwn yw 25 cm. Hyd yr ochr fyrraf QR yw 7 cm.

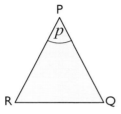

Darganfyddwch faint ongl p.

DH
DA
6 Yma mae triongl ABC. Mae ongl A yn 40°, b = 9.8 cm, c = 7.2 cm. Darganfyddwch hyd BC.

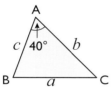

DP
DA
7 Mae cwch yn dosbarthu cyflenwadau i ddau lwyfan olew. Mae'r cwch yn hwylio o'r harbwr, H. Mae'n hwylio mewn llinell syth o H i R, yna o R i S, yna yn ôl i H. Cyfeiriant R oddi wrth H yw 050°. Cyfeiriant S oddi wrth H yw 120°. Mae R 20 km o H. Mae S 15 km o H.

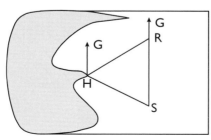

Cyfrifwch y pellter cyfan mae'r cwch yn ei deithio. Rhowch eich ateb yn gywir i un lle degol.

YS
DA

8 Mae tirfesurydd yn mesur cae ffermwr ac mae'n rhoi'r mesuriadau ar y braslun canlynol.

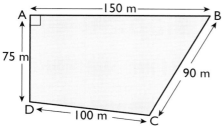

Darganfyddwch faint ongl BCD. Rhowch eich ateb yn gywir i un lle degol.

DP
DA

9 Mae adeiladwr yn rhoi rhaff ar hyd amlinell darn trionglog o dir. Mae PQ = 45 m, PR = 60 m ac ongl QPR = 75°.

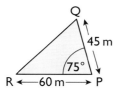

Beth yw'r hyd byrraf o raff mae ei angen ar yr adeiladwr? Rhowch eich ateb i'r metr agosaf.

DP
DA

10 Mae'r diagram yn dangos to tŷ. Mae angen sicrhau bod o leiaf 2 m rhwng pen uchaf y to yn C a gwaelod y to AB.

Ydy'r to hwn yn cwrdd â'r gofynion hyn? Rhaid i chi ddangos eich holl waith cyfrifo.

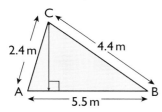

Geometreg a Mesurau
Llinyn 3 Mesur siapiau
Uned 8 Y rheol sin

YS ▸ YMARFER SGILIAU · DH ▸ DATBLYGU HYDER · DP ▸ DATRYS PROBLEMAU · DA ▸ DULL ARHOLIAD

YS **1** Cyfrifwch hyd yr ochr sydd â llythyren ym mhob un o'r trionglau canlynol.
Rhowch eich atebion yn gywir i dri ffigur ystyrlon.

a
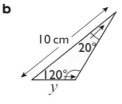

b
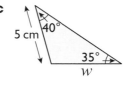

c

YS **2** Triongl yw PQR.

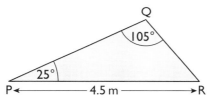

Cyfrifwch hyd yr ochr PQ. Rhowch eich ateb yn gywir i ddau le degol.

YS **3** Cyfrifwch faint yr onglau sydd â llythyren yn y diagramau
canlynol. Rhowch eich atebion yn gywir i un lle degol.

a
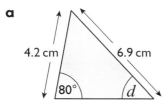

b
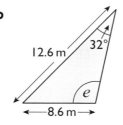

c
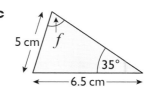

DH
DA
4 Mae castell ar gyfeiriant o 145° oddi wrth eglwys. Mae'r eglwys i'r
gorllewin o ffoli. Mae'r castell 8 milltir ar gyfeiriant o 240° oddi wrth y ffoli hon.

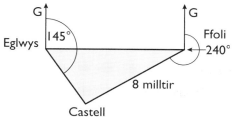

Darganfyddwch bellter y ffoli o'r eglwys.

DH
DA
5 Yn y triongl PQR, mae PQ = 12.5 cm, ongl Q = 40° a PR = 10 cm.

Darganfyddwch ddau werth posibl ar gyfer maint ongl R.

YS
DA
6 Dyma driongl ABC. Mae ongl A yn 40°, b = 9.8 cm, c = 7.2 cm.
Darganfyddwch arwynebedd y triongl ABC.

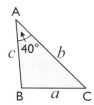

DH
DA
7 Arwynebedd y triongl XYZ yw 40 cm². XY = 10 cm, XZ = 12 cm.
Darganfyddwch faint ongl X.

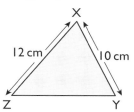

DP **DA** **8** Mae tirfesurydd yn mesur cae ffermwr ac mae'n rhoi'r mesuriadau ar y braslun canlynol.

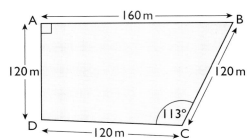

Darganfyddwch arwynebedd y cae. Rhowch eich ateb yn gywir i dri ffigur ystyrlon.

DP **DA** **9** Mae Osian yn cynllunio taith gyfeiriannu. Mae e'n mynd i gerdded o P i Q i R ac yna yn ôl i P. Mae Q ar gyfeiriant o 050° oddi wrth P. Mae R ar gyfeiriant o 160° oddi wrth Q ac 110° oddi wrth P. PQ = 7.5km.

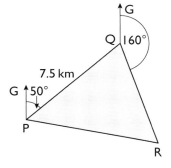

Pa mor bell mae Osian yn bwriadu cerdded? Rhowch eich ateb yn gywir i dri ffigur ystyrlon.

DP **DA** **10** Mae'r diagram yn dangos croestoriad pabell fawr. Mae angen sicrhau bod o leiaf 3.5m rhwng pen uchaf y babell yn C a gwaelod y babell AB.

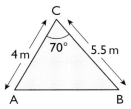

Ydy'r babell yn cwrdd â'r gofynion hyn? Rhaid i chi ddangos eich holl waith cyfrifo.

Geometreg a Mesurau Llinyn 4
Llunio Uned 4 Loci

YS — YMARFER SGILIAU   **DH** — DATBLYGU HYDER   **DP** — DATRYS PROBLEMAU   **DA** — DULL ARHOLIAD

YS **1** Lluniadwch grid cyfesurynnau ar bapur graff 2 mm.
Lluniadwch yr echelin-x o –6 i 6.
Lluniadwch yr echelin-y o –5 i 7.
Lluniadwch locws y pwyntiau sydd

   a   4 cm o (1, 1)

   b   2 cm o'r llinell sy'n cysylltu (–3, 3) a (–3, –2)

   c   yr un pellter o'r pwyntiau (1, 5) a (5, 1)

  ch yr un pellter o'r llinellau sy'n cysylltu (–4, 4) â (0, –4) a
      (0, 4) â (–4, –4).

DP **2** Mae'r diagram yn dangos gardd Fflur.
Mae Fflur eisiau plannu coeden
newydd yn ei gardd.
Bydd y goeden yn cael ei phlannu:

   •   yn agosach at RQ nac RS

   •   llai nag 8 m o Q.

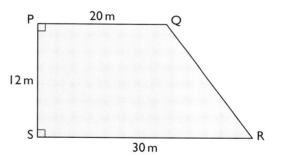

   a   Lluniadwch y diagram yn fanwl
      gywir, gan ddefnyddio'r raddfa
      1 cm = 2 m.

   b   Tywyllwch y rhanbarth lle gallai Fflur blannu'r goeden newydd.

DP **3** Mae'r diagram yn dangos safleoedd Colchester ac Ipswich.
Mae Ipswich 18 milltir i'r gogledd-ddwyrain o Colchester.
Mae cwmni eisiau adeiladu gwesty newydd fel ei fod

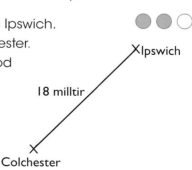

   •   yn agosach at Ipswich na Colchester

   •   llai nag 12 milltir o Colchester.

   a   Lluniadwch y diagram yn fanwl gywir, gan
      ddefnyddio'r raddfa 1 cm = 2 filltir.

   b   Tywyllwch y rhanbarth lle gallai'r gwesty
      gael ei adeiladu.

DP **4** Mae'r diagram yn dangos maes parcio sy'n mesur 75 m wrth 55 m.
Ni all ceir gael eu parcio o fewn 20 m i W
nac o fewn 15 m i XY.

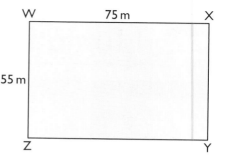

a Lluniadwch y maes parcio yn fanwl gywir,
gan ddefnyddio'r raddfa 1 cm = 10 m.

b Tywyllwch y rhanbarth lle na ddylai ceir
gael eu parcio.

DH **5** Darn sgwâr o gerdyn wedi'i osod ar linell syth yw PQRS.
DA

Yn gyntaf mae'r cerdyn yn cael ei gylchdroi 90° yn glocwedd o amgylch R.
Yna mae'n cael ei gylchdroi 90° yn glocwedd o amgylch Q.
Yn olaf mae'n cael ei gylchdroi 90° yn glocwedd o amgylch P.
Lluniadwch locws y fertig S.

DP **6** Yn y diagram:
DA

- bwiau (*buoys*) yw P a Q.
  Mae P 750 m i'r gogledd o Q ac
  mae Q 1 km i'r gogledd-ddwyrain o H.

- Mae H 1 km oddi wrth R ar gyfeiriant
  o 020°.

  Mae'n rhaid i Ewan lywio ei gwch ar
  hyd cwrs o'r porthladd R rhwng y
  bwiau yn P a Q. Rhaid iddo aros o
  leiaf 300 m i ffwrdd o H.

  Mae Ewan eisiau hwylio i'r gogledd
  o R ac yna ar gwrs ar hanerydd
  perpendicwlar P a Q.

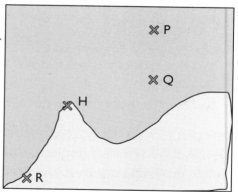

a Lluniadwch ddiagram manwl gywir o daith Ewan yn y cwch, gan
ddefnyddio'r raddfa 1 cm = 100 m.

b A fydd e'n mynd yn rhy agos at H?
Eglurwch eich ateb.

Geometreg a Mesurau
Llinyn 5 Trawsffurfiadau
Uned 7 Cyflunedd

YS — YMARFER SGILIAU   DH — DATBLYGU HYDER   DP — DATRYS PROBLEMAU   DA — DULL ARHOLIAD

YS 1 Cyfrifwch yr hydoedd sydd â llythrennau ym mhob pâr o drionglau cyflun. ●●○

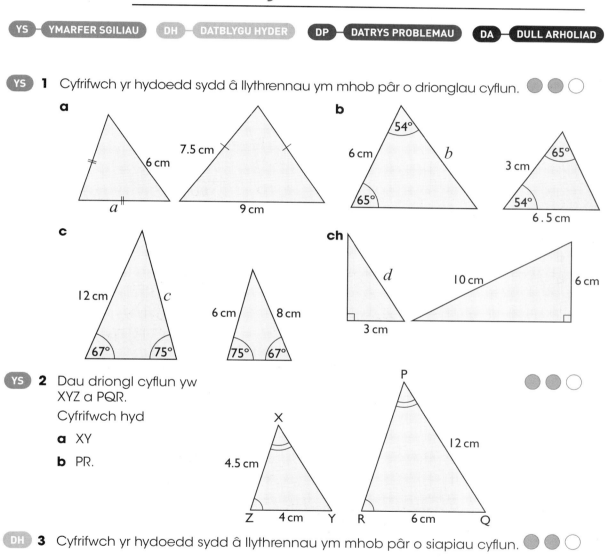

a

6 cm a

7.5 cm 9 cm

b

54° 6 cm b

65°

65° 3 cm

54° 6.5 cm

c

12 cm c

67° 75°

6 cm 8 cm

75° 67°

ch

d 3 cm

10 cm 6 cm

YS 2 Dau driongl cyflun yw XYZ a PQR.

Cyfrifwch hyd

a XY

b PR.

●●○

X

4.5 cm

Z 4 cm Y

P

12 cm

R 6 cm Q

DH 3 Cyfrifwch yr hydoedd sydd â llythrennau ym mhob pâr o siapiau cyflun. ●●○

a

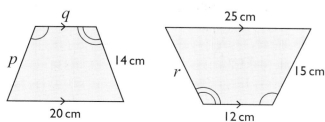

q

p 14 cm

20 cm

25 cm

r 15 cm

12 cm

121

b

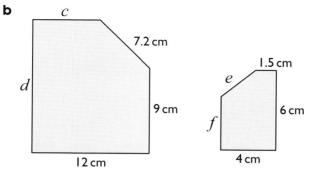

DH **DA** **4** Dau driongl cyflun yw ABC ac ADE.
Mae BC yn baralel i DE.
Cyfrifwch hyd

   a BC

   b AE.

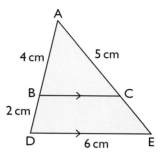

DH **DA** **5** Mae'r trionglau DEF a HGJ yn gyflun.
Cyfrifwch hyd

   a DE

   b JH.

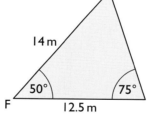

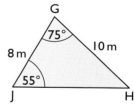

DH **DA** **6** Yn y diagram hwn, mae PQ yn baralel i RS.
Cyfrifwch hyd

   a RT

   b PT.

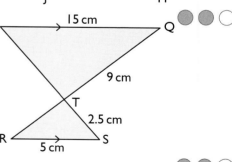

DP **DA** **7** Mae'r diagram yn dangos
set o gynalyddion (*supports*)
o ddau faint sydd wedi'u
gwneud i gynnal silffoedd.
Cyfrifwch werth

   a x

   b y.

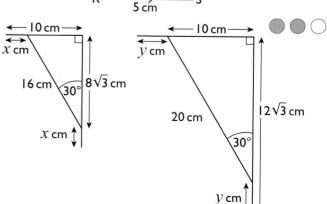

Geometreg a Mesurau
Llinyn 5 Trawsffurfiadau
Uned 8 Trigonometreg

YS — **YMARFER SGILIAU**   **DH** — **DATBLYGU HYDER**   **DP** — **DATRYS PROBLEMAU**   **DA** — **DULL ARHOLIAD**

YS **1** Cyfrifwch hyd yr ochr sydd â llythyren ym mhob triongl ongl sgwâr.
Rhowch eich atebion yn gywir i 1 lle degol.

a
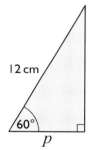
12 cm
60°
p

b
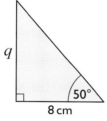
q
50°
8 cm

c
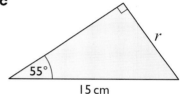
r
55°
15 cm

YS **2** Ar gyfer pob triongl, cyfrifwch werth θ.
Rhowch eich ateb yn gywir i 1 lle degol.

a
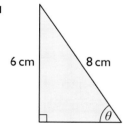
6 cm   8 cm
θ

b
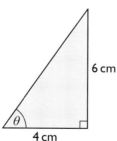
6 cm
θ
4 cm

c
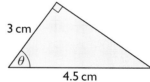
3 cm
θ
4.5 cm

YS **3** Cyfrifwch hyd yr ochr sydd â llythyren ym mhob triongl ongl sgwâr.
Rhowch eich atebion yn gywir i 2 le degol.

a
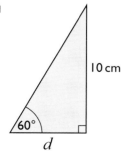
10 cm
60°
d

b
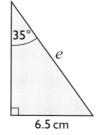
35°
e
6.5 cm

c
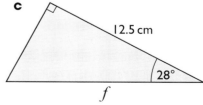
12.5 cm
28°
f

123

DH
DA
4 Cyfrifwch uchder perpendicwlar *u* y triongl hwn.

Rhowch eich ateb yn gywir i 3 ffigur ystyrlon.

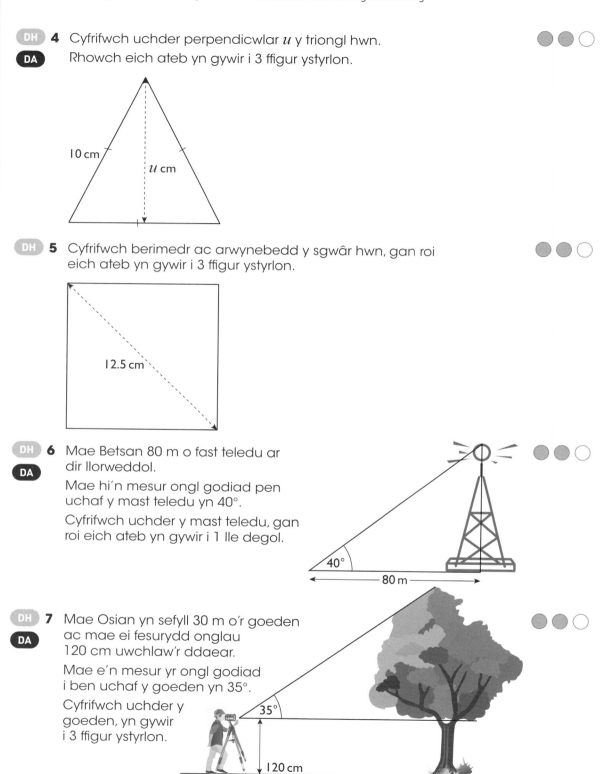

10 cm

u cm

DH **5** Cyfrifwch berimedr ac arwynebedd y sgwâr hwn, gan roi eich ateb yn gywir i 3 ffigur ystyrlon.

12.5 cm

DH
DA
6 Mae Betsan 80 m o fast teledu ar dir llorweddol.

Mae hi'n mesur ongl godiad pen uchaf y mast teledu yn 40°.

Cyfrifwch uchder y mast teledu, gan roi eich ateb yn gywir i 1 lle degol.

40°

80 m

DH
DA
7 Mae Osian yn sefyll 30 m o'r goeden ac mae ei fesurydd onglau 120 cm uwchlaw'r ddaear.

Mae e'n mesur yr ongl godiad i ben uchaf y goeden yn 35°.

Cyfrifwch uchder y goeden, yn gywir i 3 ffigur ystyrlon.

35°

120 cm

30 m

DP
DA

8 Mae'r diagram yn dangos fframwaith sydd wedi'i wneud o 5 rhoden.

Hyd y petryal yw 12 m.

Mae'r groeslin yn gwneud ongl o 25° â gwaelod y petryal.

Cyfrifwch hyd cyfan y 5 rhoden yn y fframwaith.

Rhowch eich ateb yn gywir i 3 ffigur ystyrlon.

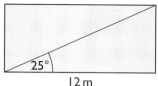

DP
DA

9 Hyd croeslin hiraf rhombws yw 10 cm.

Mae'r groeslin hon yn gwneud ongl o 30° â gwaelod y rhombws.

Cyfrifwch berimedr y rhombws, gan roi eich ateb yn gywir i 3 ffigur ystyrlon.

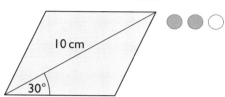

DP
DA

10 Mae Alfie yn mynd yn ei gwch i archwilio dwy felin wynt alltraeth yn W ac M.

Mae e'n gadael yr harbwr H ac yn teithio i'r Dwyrain am 12 km i W ac yna 5 km i'r Gogledd i M.

Ar ba gyfeiriant mae'n rhaid iddo deithio i fynd yn syth yn ôl i H?

Rhowch eich ateb i'r radd agosaf.

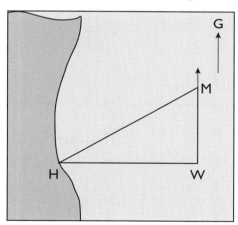

DP
DA

11 Mae Kirsty eisiau darganfod lled afon.

Mae hi'n sefyll ar ben uchaf y tŵr, T.
Mae gwaelod y tŵr yn A.

Mae ABC yn llinell syth.

Mae ongl TAB yn ongl sgwâr.

Ongl ostwng:

• B o T yw 40°

• C o T yw 30°.

Mae gwaelod y tŵr 100 m o B.

Cyfrifwch beth yw lled yr afon.

Rhowch eich ateb yn gywir i 3 ffigur ystyrlon.

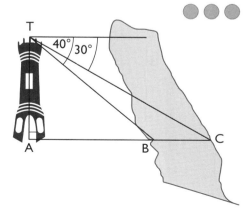

Geometreg a Mesurau
Llinyn 5 Trawsffurfiadau
Uned 9 Darganfod canolau cylchdro

YS — YMARFER SGILIAU   DH — DATBLYGU HYDER   DP — DATRYS PROBLEMAU   DA — DULL ARHOLIAD

YS **1** Copïwch y diagram.
Ysgrifennwch y canol cylchdro ac ongl y cylchdro ar gyfer

a   A → B

b   A → C

c   A → D

ch A → E.

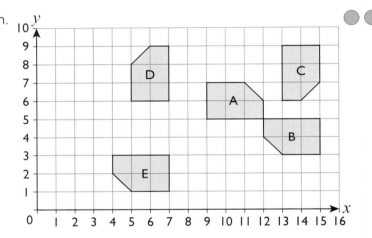

YS **2** Ysgrifennwch y canol cylchdro ac ongl y cylchdro sy'n trawsffurfio triongl P ar ben

a   triongl A

b   triongl B

c   triongl C.

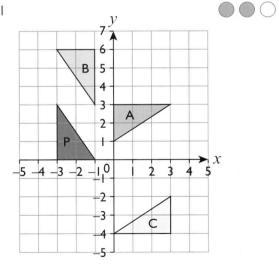

MATHEMATEG YN UNIG

DH **3** Edrychwch ar y diagram yng nghwestiwn 2. Disgrifiwch yn llawn y cylchdroeon sy'n mapio

   a   triongl A ar ben triongl C

   b   triongl B ar ben triongl A

   c   triongl C ar ben triongl P

  ch triongl B ar ben triongl C.

DH **4** **a** Disgrifiwch yn llawn y cylchdroeon sy'n mapio siâp S ar ben

    i   siâp A

   ii siâp B

  iii siâp C.

DP   **b** Eglurwch pam nad yw siâp D yn gylchdro o siâp S.

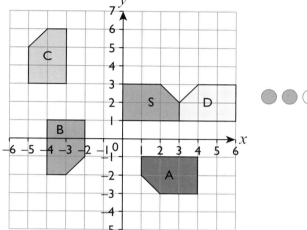

DP **5** **a** Adlewyrchwch y triongl P yn y llinell $x = -2$. Labelwch y triongl newydd yn Q.

DA   **b** Adlewyrchwch y triongl Q yn y llinell $y = 1$. Labelwch y triongl newydd yn R.

   c Disgrifiwch yn llawn y trawsffurfiad sengl sy'n mapio triongl P yn uniongyrchol ar ben triongl R.

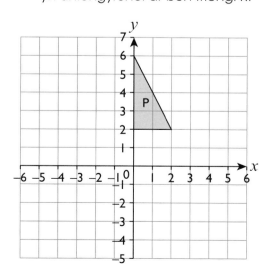

DP
DA
6 a Adlewyrchwch y triongl T yn y llinell $x = 0$. Labelwch y triongl newydd yn U.

b Trawsfudwch y triongl U yn ôl y fector $\begin{pmatrix} 4 \\ -2 \end{pmatrix}$. Labelwch y triongl newydd yn V.

c Adlewyrchwch y triongl V yn y llinell $y = -1$. Labelwch y triongl newydd yn W.

ch Disgrifiwch yn llawn y trawsffurfiad sengl sy'n mapio triongl T yn uniongyrchol ar ben triongl W.

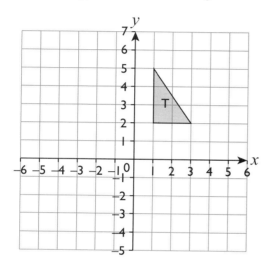

DP
DA
7 Mae siâp P yn cael ei adlewyrchu yn y llinell sydd â'r hafaliad $y = x + 1$ i roi siâp Q.

Mae siâp Q yn cael ei adlewyrchu yn y llinell $y = x - 2$ i roi siâp R.

Disgrifiwch yn llawn y trawsffurfiad sengl sy'n mapio siâp R yn uniongyrchol ar ben siâp P.

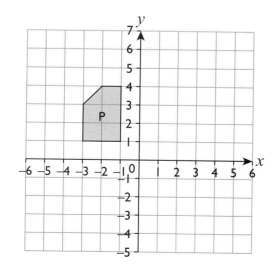

Geometreg a Mesurau
Llinyn 5 Trawsffurfiadau
Uned 10 Helaethu â ffactorau graddfa negatif

 YMARFER SGILIAU   DH — DATBLYGU HYDER   DP — DATRYS PROBLEMAU   DA — DULL ARHOLIAD

YS
DA

1 Mae triongl A wedi'i luniadu ar grid cyfesurynnau. Disgrifiwch yn llawn y trawsffurfiad sengl sy'n mapio triongl A ar ben triongl B.

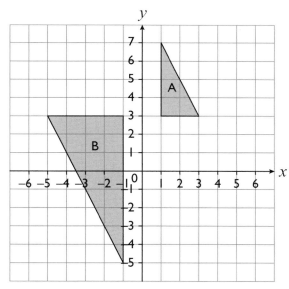

YS
DA
2 Mae triongl C wedi'i luniadu ar grid cyfesurynnau. Disgrifiwch yn llawn y trawsffurfiad sengl sy'n mapio triongl C ar ben triongl D.

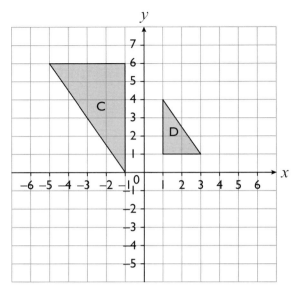

DH
DA
3 Helaethwch y triongl A â

   a ffactor graddfa −2, canol (0, 0)

   b ffactor graddfa −½, canol (−2, 1).

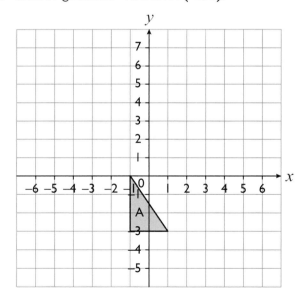

DH **4** Edrychwch ar y diagram.

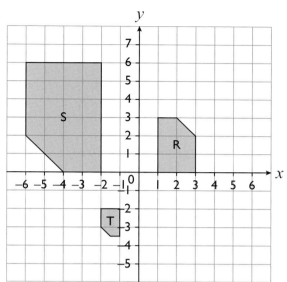

a Disgrifiwch y trawsffurfiad sengl sy'n mapio R ar ben S.

b Disgrifiwch y trawsffurfiad sengl sy'n mapio R ar ben T.

DP
DA **5** Mae siâp, F, yn cael ei luniadu ar grid cyfesurynnau. Mae'r siâp yn cael ei gylchdroi 180° o amgylch y tarddbwynt.

Disgrifiwch drawsffurfiad sengl gwahanol sy'n gallu cymryd lle'r cylchdro hwn.

DP
DA **6** Mae siâp G yn cael ei luniadu ar grid cyfesurynnau. Mae'r siâp yn cael ei adlewyrchu yn y llinell $x = a$. Yna mae'n cael ei adlewyrchu yn y llinell $y = b$.

Disgrifiwch ddau drawsffurfiad sengl sy'n gallu cymryd lle'r ddau adlewyrchiad hyn.

7 Mae'r siâp P yn cael ei helaethu â ffactor graddfa –3, canol (0, 0), i lunio'r siâp Q. Mae'r siâp Q yn cael ei helaethu â ffactor graddfa –½, canol (0, 3), i lunio'r siâp R.

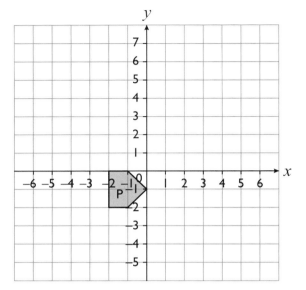

a Lluniadwch yr helaethiadau hyn ar grid cyfesurynnau.

b Ysgrifennwch y trawsffurfiad sengl sy'n mynd â P yn uniongyrchol i R.

Geometreg a Mesurau
Llinyn 5 Trawsffurfiadau
Uned 11 Trigonometreg a theorem Pythagoras mewn 2D a 3D

YS — YMARFER SGILIAU   DH — DATBLYGU HYDER   DP — DATRYS PROBLEMAU   DA — DULL ARHOLIAD

YS **DA** **1** Dyma giwboid. Hyd y ciwboid yw 12 cm, ei led yw 5 cm a'i uchder yw 6 cm.

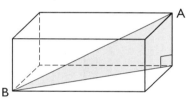

   a Cyfrifwch hyd y groeslin AB.

   b Cyfrifwch yr ongl mae AB yn ei gwneud â sylfaen y ciwboid.

DP **DA** **2** Mae tröydd sy'n cael ei ddefnyddio i droi paent yn sticio allan 10 cm o dun paent. Uchder y tun paent yw 30 cm ac mae'n silindr sydd â'i radiws yn 8 cm.

   a Cyfrifwch hyd y tröydd.

   b Pa ongl mae'r tröydd yn ei gwneud â gwaelod y tun?

DH **DA** **3** Dyma giwboid. Ei hyd yw 12 cm, ei led yw 6 cm a'i uchder yw 4 cm. Mae fertigau'r triongl llwyd ar ganolbwyntiau tri o ymylon y ciwboid.

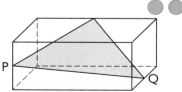

   a Cyfrifwch berimedr y triongl llwyd.

   b Cyfrifwch yr ongl mae PQ yn ei gwneud â sylfaen y ciwboid.

4 Mae David eisiau ffitio darn hir o bren i mewn i flwch sydd ar
 siâp ciwboid. Hyd y blwch yw 0.9 m, y lled yw 30 cm a'r uchder yw 30 cm.

   a Beth yw hyd y darn o bren hiraf fydd yn ffitio i mewn i'r blwch?

   b Pa ongl bydd y darn o bren hiraf yn ei gwneud a sylfaen y blwch?

 5 Dyma fraslun o seilo grawn. Mae'r seilo grawn wedi'i
   wneud o silindr a chôn sydd â'u radiws yn 3 m.
   Uchder y silindr yw 8 m.
   Uchder y côn yw 4 m.

   Cyfrifwch faint yr ongl aflem mae arwyneb crwm y
   côn yn ei gwneud ag arwyneb crwm y silindr.

 6 Dyma ddiagram o ffrâm oer. Mae'r ffrâm oer ar
   siâp prism trionglog ongl sgwâr. Mae darn syth o
   fetel yn uno P â Q i gryfhau'r ffrâm.

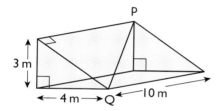

   a Darganfyddwch hyd y darn o fetel PQ.

   b Darganfyddwch yr ongl mae PQ yn ei gwneud â sylfaen y ffrâm oer.

7 Dyma byramid. Hyd ochrau ei sylfaen sgwâr yw 10 cm a'i uchder
   fertigol yw 12 cm.

   a Cyfrifwch yr ongl mae ymyl wyneb trionglog
   yn ei gwneud â sylfaen y pyramid.

   b Cyfrifwch yr ongl mae wyneb trionglog yn ei
   gwneud â sylfaen y pyramid.

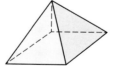

DP **8**
DA

Dyma giwboid. Yr hyd yw 15 cm. Y lled yw 8 cm.
Yr uchder yw 6 cm.

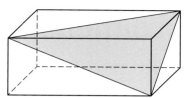

Cyfrifwch arwynebedd y triongl llwyd.

DP **9**
DA

Mae Raj yn rhedeg cebl teledu ar draws ei ystafell wely. Mae'r cebl yn dilyn y llinell lliw du yn y diagram. Hyd yr ystafell yw 4 m, y lled yw 3 m a'r uchder yw 2.5 m.

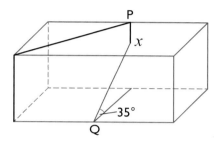

Mae P hanner ffordd ar hyd un wal. Mae Q hanner ffordd ar hyd wal arall.
X yw'r pwynt lle bydd y teledu'n cael ei roi. Mae Raj eisiau i'r ongl mae XQ yn ei gwneud â llawr yr ystafell fod yn 35°.

Cyfrifwch hyd y cebl teledu mae ei angen ar Raj. Rhaid i chi ddangos eich holl waith cyfrifo.

DP **10**
DA

Yma mae cynllun y dyluniad ar gyfer to ystafell wydr. Mae'r to ar siâp pyramid wythonglog. Mae sylfaen y to yn octagon rheolaidd sydd â hyd ei ochrau yn 1 m. Uchder y to yw 0.6 m. Rhaid i'r ongl mae pob wyneb yn ei gwneud â sylfaen y to fod yn fwy na 30°.

Ydy'r dyluniad yn cyd-fynd â'r gofynion? Rhaid i chi ddangos sut rydych chi'n cyrraedd eich casgliad.

Geometreg a Mesurau
Llinyn 6 Siapiau tri dimensiwn
Uned 5 Prismau

YS — YMARFER SGILIAU   DH — DATBLYGU HYDER   DP — DATRYS PROBLEMAU   DA — DULL ARHOLIAD

YS **1** Dyma rai prismau. Darganfyddwch eu cyfaint.

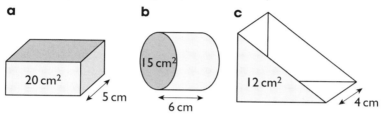

a   20 cm²   5 cm

b   15 cm²   6 cm

c   12 cm²   4 cm

YS **2** Dyma rai prismau. Darganfyddwch arwynebedd arwyneb cyfan y rhain.

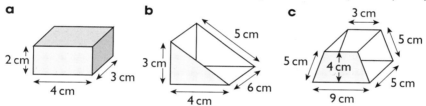

a   2 cm   3 cm   4 cm

b   5 cm   3 cm   4 cm   6 cm

c   3 cm   5 cm   5 cm   4 cm   5 cm   9 cm

YS **3** Dyma silindr.

DA   **a** Darganfyddwch gyfaint y silindr.

3 cm   8 cm

b Darganfyddwch arwynebedd arwyneb cyfan y silindr.

DH **4** Atebwch y canlynol.

a Arwynebedd trawstoriadol prism hecsagonol yw 35 cm² a'i hyd yw 5 cm. Darganfyddwch gyfaint y prism hecsagonol.

b Cyfaint silindr yw 1 litr. Arwynebedd sylfaen gron y silindr yw 50 cm². Darganfyddwch uchder y silindr.

c Cyfaint prism wythonglog yw 24 cm³. Hyd y prism yw 3 cm. Darganfyddwch arwynebedd sylfaen y prism.

DP **4** Mae'r diagram yn dangos gweithdy Emma.

DA Mae apig (*apex*) y to yn ganolog i'r sylfaen.

Uchder mwyaf y gweithdy yw 3.5m.

Lluniadwch olwg priodol wrth raddfa a defnyddiwch hwn i gyfrifo arwynebedd to'r gweithdy.

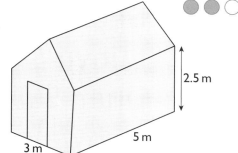

DP **5** Dyma uwcholwg a golygon adeiledd sydd wedi'i wneud o frics adeiladu teganaidd.

Mae'r adeiledd wedi'i wneud o'r canlynol:

- dau giwboid â thrawstoriad sgwâr sydd â'r ochrau yn 4cm a'r uchder yn 2cm
- un ciwboid â thrawstoriad sgwâr sydd â'r ochrau yn 2cm a'r hyd yn 4cm
- pyramid sylfaen sgwâr sydd â'i uchder fertigol yn 2cm.

Lluniadwch y siâp 3D ar bapur isometrig.

Uwcholwg

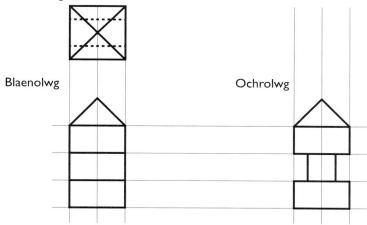

Blaenolwg   Ochrolwg

Geometreg a Mesurau
Llinyn 6 Siapiau tri dimensiwn
Uned 8 Arwynebedd arwyneb
a chyfaint siapiau 3D

YS — YMARFER SGILIAU   DH — DATBLYGU HYDER   DP — DATRYS PROBLEMAU   DA — DULL ARHOLIAD

YS 1 Cyfrifwch gyfaint ac arwynebedd arwyneb sffêr sydd â'r

    a radiws yn 4 cm

    b diamedr yn 7 cm.

    Rhowch eich atebion yn gywir i 3 ffigur ystyrlon.

YS 2 Cyfrifwch gyfaint ac arwynebedd arwyneb crwm côn sydd â'r

    a radiws yn 5 cm, yr uchder fertigol yn 12 cm, yr uchder oledd yn 13 cm

    b diamedr yn 12 cm, yr uchder fertigol yn 8 cm, yr uchder oledd yn 10 cm.

    Rhowch eich atebion yn gywir i 3 ffigur ystyrlon.

DH 3 Cyfaint sffêr yw 36π cm³.

DA   Cyfrifwch radiws y sffêr.

DH 4 Arwynebedd arwyneb côn sydd â'i uchder oledd yn 10 cm yw 40π cm².

DA   Cyfrifwch radiws y sylfaen.

DH 5 Mae'r diagram hwn yn dangos silindr gyda hemisffer ar ei ben.

    Mae'r diagram yn dangos y dimensiynau.

    Cyfrifwch gyfaint ac arwynebedd arwyneb y siâp.

    Rhowch eich ateb yn nhermau π.

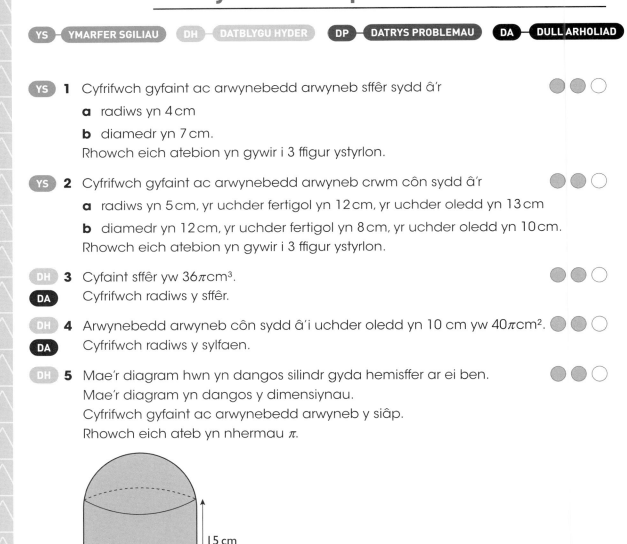

15 cm

6 cm

6 Mae'r diagram yn dangos siâp sy'n cynnwys pyramid sylfaen sgwâr wedi'i osod ar ben ciwb sydd â'i ochrau yn 7.5 cm.

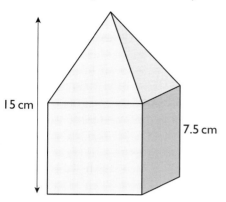

 a Cyfrifwch gyfaint y siâp.

 b Cyfrifwch arwynebedd arwyneb y siâp.

7 Mae'r diagram yn dangos ciwb sydd â'i ochrau yn 10 cm ac sydd â thwll crwn â'i ddiamedr yn 5 cm wedi'i ddrilio drwy'r canol.
Cyfrifwch

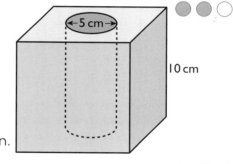

a y cyfaint

b yr arwynebedd arwyneb.
Rhowch eich atebion yn gywir i 3 ffigur ystyrlon.

8 Mae'r diagram yn dangos ffrwstwm côn.
Mae'n cael ei wneud drwy dorri i ffwrdd pen uchaf côn mawr.
Mae'r diagram yn dangos y dimensiynau.

 a Dangoswch mai 25 cm yw uchder y côn mawr mae'r ffrwstwm wedi'i wneud ohono.

 b Cyfrifwch gyfaint y ffrwstwm.

 c Cyfrifwch arwynebedd arwyneb crwm y ffrwstwm.
Rhowch eich atebion yn gywir i 3 ffigur ystyrlon.

9 Mae gan sffêr sydd â'i radiws yn r cm yr un cyfaint â chôn sydd â radiws ei sylfaen yn $2r$ cm.

  a Profwch fod uchder y côn u yn hafal i r.

  b Beth yw cymhareb arwynebedd arwyneb y sffêr i arwynebedd arwyneb crwm y côn?

10 Mae cwmni'n gwneud pelferynnau dur drwy doddi blociau o ddur.

Mae'r pelferynnau yn sfferau sydd â'u radiws yn 0.25 cm.

Faint o'r pelferynnau sy'n gallu cael eu gwneud o floc 1 m³ o ddur?

Rhowch eich ateb i'r fil agosaf.

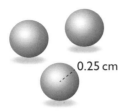

0.25 cm

11 Mae Mr Field eisiau prynu seilo newydd i stori'r cnydau grawnfwyd o'i fferm.

Mae ganddo ddewis o ddau silindr. Diamedr sylfaen silindrog y ddau yw 20 m ac uchder y ddau yw 20 m. To hemisffer sydd gan Seilo A. To conigol sydd gan Seilo B.

Mae Mr Field eisiau prynu'r seilo sydd â'r cyfaint mwyaf.

Pa seilo bydd e'n ei brynu?

Dangoswch eich gwaith cyfrifo.

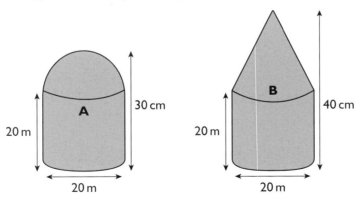

Geometreg a Mesurau
Llinyn 6 Siapiau tri dimensiwn
Uned 9 Arwynebedd a chyfaint mewn siapiau cyflun

YS — YMARFER SGILIAU   DH — DATBLYGU HYDER   DP — DATRYS PROBLEMAU   DA — DULL ARHOLIAD

YS 1 Cymhareb diamedrau dau sffêr yw 3:5.

●●○

    a Cyfrifwch gymhareb yr arwynebeddau arwyneb.

    b Cyfrifwch gymhareb y cyfeintiau.

YS 2 Mae'r silindr llwyd wedi cael ei helaethu yn ôl ffactor graddfa llinol o 1.5 o'r silindr gwyn.

●●●

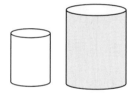

    a Ysgrifennwch gymhareb eu radiysau.

    b Cyfrifwch gymhareb yr arwynebeddau arwyneb.

    c Cyfrifwch gymhareb y cyfeintiau.

YS 3 Dyma ddwy fricsen adeiladu gyflun ar gyfer plant. Mae'r fricsen lliw llwyd yn helaethiad llinol o'r fricsen lliw gwyn yn ôl ffactor graddfa 2. Cyfaint y fricsen lliw gwyn yw 20 cm³.

●●●

Cyfrifwch gyfaint y fricsen lliw llwyd.

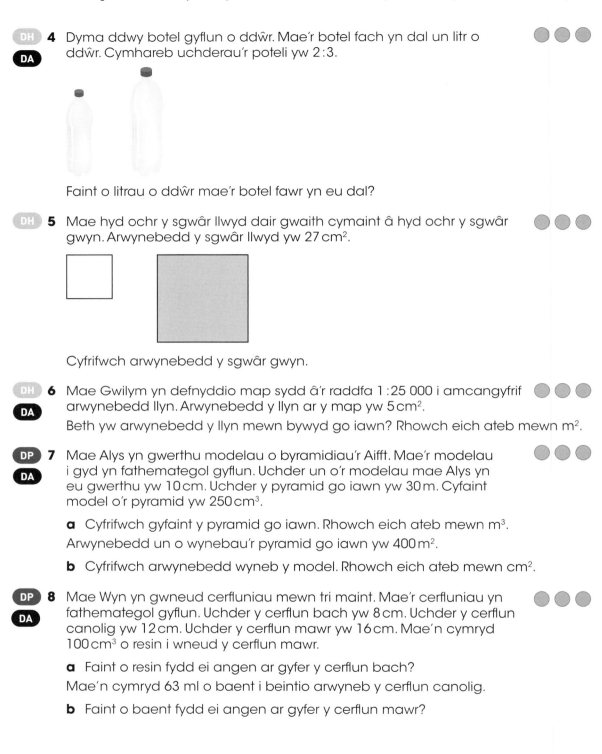

DH **DA** **4** Dyma ddwy botel gyflun o ddŵr. Mae'r botel fach yn dal un litr o ddŵr. Cymhareb uchderau'r poteli yw 2:3.

Faint o litrau o ddŵr mae'r botel fawr yn eu dal?

DH **5** Mae hyd ochr y sgwâr llwyd dair gwaith cymaint â hyd ochr y sgwâr gwyn. Arwynebedd y sgwâr llwyd yw 27 cm².

Cyfrifwch arwynebedd y sgwâr gwyn.

DH **DA** **6** Mae Gwilym yn defnyddio map sydd â'r raddfa 1:25 000 i amcangyfrif arwynebedd llyn. Arwynebedd y llyn ar y map yw 5 cm².
Beth yw arwynebedd y llyn mewn bywyd go iawn? Rhowch eich ateb mewn m².

DP **DA** **7** Mae Alys yn gwerthu modelau o byramidiau'r Aifft. Mae'r modelau i gyd yn fathemategol gyflun. Uchder un o'r modelau mae Alys yn eu gwerthu yw 10 cm. Uchder y pyramid go iawn yw 30 m. Cyfaint model o'r pyramid yw 250 cm³.

a Cyfrifwch gyfaint y pyramid go iawn. Rhowch eich ateb mewn m³.
Arwynebedd un o wynebau'r pyramid go iawn yw 400 m².

b Cyfrifwch arwynebedd wyneb y model. Rhowch eich ateb mewn cm².

DP **DA** **8** Mae Wyn yn gwneud cerfluniau mewn tri maint. Mae'r cerfluniau yn fathemategol gyflun. Uchder y cerflun bach yw 8 cm. Uchder y cerflun canolig yw 12 cm. Uchder y cerflun mawr yw 16 cm. Mae'n cymryd 100 cm³ o resin i wneud y cerflun mawr.

a Faint o resin fydd ei angen ar gyfer y cerflun bach?
Mae'n cymryd 63 ml o baent i beintio arwyneb y cerflun canolig.

b Faint o baent fydd ei angen ar gyfer y cerflun mawr?

DP
DA
9 Mae Phillipe yn gwneud modelau o'r Tŵr Eiffel sy'n fathemategol gyflun. Uchder y model bach yw 10 cm. Uchder y model mawr yw 15 cm. Mae'n cymryd 120 g o fetel i wneud y model bach. Mae gan Phillipe 360 g o fetel.

A oes ganddo ddigon o fetel i wneud model mawr?

DP
DA
10 Mae Ffion yn gwneud dau bodiwm solet o ddau faint ar gyfer seremoni wobrwyo. Bydd y ddau bodiwm yn fathemategol gyflun. Uchder y podiwm bach fydd 9 cm. Uchder y podiwm mawr fydd 15 cm.

Mae'r ddau bodiwm yn mynd i gael eu gwneud o goncrit. Mae'r defnyddiau i wneud y concrit ar gyfer y podiwm mawr yn costio £62.50.

a Beth fydd cost y defnyddiau i wneud y podiwm bach?

Mae Ffion wedi cyfrifo byddai'n cymryd un tun o baent i beintio'r podiwm bach.

b Sawl tun bydd ei angen arni i beintio'r ddau bodiwm?

DP
DA
11 Mae cwmni'n gwneud poteli plastig. Maen nhw'n gwneud poteli bach a photeli mawr.

Uchder y poteli bach yw 10 cm. Uchder y poteli mawr yw 25 cm. Mae'r poteli yn fathemategol gyflun. Mae gan y cwmni ddigon o blastig i wneud miliwn o boteli bach.

Faint o boteli mawr gallai'r cwmni eu gwneud?

Ystadegaeth a Thebygolrwydd
Llinyn 1 Mesurau ystadegol
Uned 4 Defnyddio tablau amlder grŵp

YS ─ YMARFER SGILIAU   **DH** ─ DATBLYGU HYDER   **DP** ─ DATRYS PROBLEMAU   **DA** ─ DULL ARHOLIAD

YS **DA** **1** Mae'r tabl yn dangos gwybodaeth am bwysau 50 winwnsyn/nionyn.

Pwysau (gramau), p	Amlder, f	Canolbwynt, m	$f \times m$
$70 < p \leqslant 90$	12	80	960
$90 < p \leqslant 110$	23		
$110 < p \leqslant 130$	10		
$130 < p \leqslant 150$	5		

a Ym mha grŵp mae'r canolrif?

b Copïwch a chwblhewch y tabl.

c Darganfyddwch amcangyfrif ar gyfer y pwysau cymedrig.

YS **DA** **2** Mae nifer y cwynion gafodd eu derbyn gan gwmni teledu ar bob un o 25 diwrnod wedi'i grynhoi yn y tabl.

Nifer y cwynion	Amlder, f	Canolbwynt, m	$f \times m$
0–2	3	1	3
3–5	11		
6–8	7		
9–11	4		

a Copïwch a chwblhewch y tabl.

b Darganfyddwch amcangyfrif ar gyfer y nifer cymedrig o gwynion.

c Darganfyddwch amcangyfrif ar gyfer yr amrediad.

DH **3** Mewn arbrawf, gofynnwyd i rai plant wneud pos jigso. Mae'r tabl yn dangos gwybodaeth am yr amserau gafodd eu cymryd i wneud y pos jigso.

Amser (munudau), t	Amlder, f	Canolbwynt, m	$f \times m$
$5 < t \leqslant 7$	6		
$7 < t \leqslant 9$	18		
$9 < t \leqslant 11$	13		
$11 < t \leqslant 13$	8		
$13 < t \leqslant 15$	5		

a Ysgrifennwch y grŵp modd.

b Faint o blant wnaeth y pos jigso?

c Ym mha grŵp mae'r canolrif?

ch Copïwch a chwblhewch y tabl.

d Darganfyddwch amcangyfrif ar gyfer yr amser cymedrig.

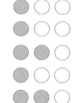

DH **4** Mewn project tirfesur mae arwynebeddau 90 cae yn cael eu mesur. Mae'r canlyniadau wedi'u crynhoi yn y tabl.

Arwynebedd (hectarau), a	Amlder, f
$0 < a \leqslant 10$	9
$10 < a \leqslant 20$	15
$20 < a \leqslant 30$	23
$30 < a \leqslant 40$	28
$40 < a \leqslant 50$	15

a Cyfrifwch nifer y caeau sydd â'u harwynebedd

   i yn fwy na 30 hectar

   ii yn 40 hectar neu lai.

b Ysgrifennwch y grŵp modd.

c Amcangyfrifwch arwynebedd cymedrig y caeau.

DP **DA** **5** Mae 100 o goed yng Nghoedwig Ashdown. Mae'r tabl yn rhoi gwybodaeth am uchderau 85 o'r coed hyn.

Uchder (metrau), u	Amlder, f
$0 < u \leqslant 4$	30
$4 < u \leqslant 8$	24
$8 < u \leqslant 12$	15
$12 < u \leqslant 16$	12
$16 < u \leqslant 20$	4

Dyma uchderau'r 15 coeden arall, mewn metrau.

3.5	10.3	11.4	6.7	3.9
4.2	12.5	2.4	15.8	17.0
9.5	8.9	14.9	15.2	7.8

a Lluniadwch a chwblhewch dabl amlder ar gyfer y 100 o goed.

b Ysgrifennwch y grŵp modd.

c Darganfyddwch amcangyfrif ar gyfer uchder cymedrig y 100 o goed.

DP **DA** **6** Cofnododd rheolwr siop esgidiau y symiau o arian gafodd eu gwario ar esgidiau yn ystod un diwrnod. Mae'r canlyniadau wedi'u crynhoi yn y tabl.

Swm wedi'i wario (£), s	Amlder, f
$0 < s \leqslant 25$	4
$25 < s \leqslant 50$	26
$50 < s \leqslant 75$	63
$75 < s \leqslant 100$	17

a Cyfrifwch amcangyfrif ar gyfer cyfanswm yr arian wedi'i wario ar esgidiau y diwrnod hwnnw.

b Darganfyddwch amcangyfrif ar gyfer y cymedr.

c Eglurwch pam mai dim ond amcangyfrif o'r cymedr yw hwn.

DP **DA** **7** Mae Mrs Abdul yn mynd â rhai plant i barc thema. Mae'r tablau yn rhoi gwybodaeth am daldra'r plant.

Bechgyn		Merched	
Taldra (cm), t	Amlder, f	Taldra (cm), t	Amlder, f
$120 < t \leqslant 125$	0	$120 < t \leqslant 125$	1
$125 < t \leqslant 130$	3	$125 < t \leqslant 130$	3
$130 < t \leqslant 135$	7	$130 < t \leqslant 135$	8
$135 < t \leqslant 140$	16	$135 < t \leqslant 140$	15
$140 < t \leqslant 145$	9	$140 < t \leqslant 145$	8

a Cymharwch daldra cymedrig y bechgyn a'r merched.

Mae cyfyngiad ar daldra gan un o'r reidiau yn y parc thema.
Dydy plant sydd â'u taldra'n 130 cm neu lai ddim yn gallu mynd ar y reid.

b Pa ganran o'r plant sydd ddim yn gallu mynd ar y reid?

DP **DA** **8** Mae'r tabl anghyflawn isod yn dangos rhywfaint o wybodaeth am dymheredd corff y cleifion mewn ysbyty.

Tymheredd (°C), T	Amlder, f	Canolbwynt, m	$f \times m$
$36.25 < T \leqslant 36.75$	15	36.5	
$36.75 < T \leqslant 37.25$	19		703
$37.25 < T \leqslant 37.75$		37.5	450
	10	38	380
$38.25 < T \leqslant 38.75$	4		

a Copïwch a chwblhewch y tabl.

b Darganfyddwch amcangyfrif ar gyfer tymheredd corff cymedrig y cleifion.

c Yma mha grŵp mae'r canolrif?

Mae twymyn (*fever*) ar glaf os yw tymheredd y corff yn fwy na 38°C.

ch Darganfyddwch yr amcangyfrif gorau ar gyfer nifer y cleifion sydd â thwymyn arnyn nhw.

DP **DA** **9** Cofnododd Balpreet hyd oes rhai batris mewn oriau, h, Dyma'r canlyniadau.

11.0	10.5	14.2	16.3	18.3	14.8	15.8	12.5	17.9	13.9
15.5	16.3	15.4	17.7	12.3	19.5	13.6	16.8	14.3	14.9
14.5	12.8	13.6	17.6	15.0	14.2	19.6	15.7	13.1	15.7

a Cyfrifwch hyd oes cymedrig y batris.

b Lluniadwch a chwblhewch dabl amlder grŵp ar gyfer y data hyn gan ddefnyddio'r cyfyngau $10 < h \leqslant 12$, $12 < h \leqslant 14$, etc.

c Defnyddiwch eich tabl amlder grŵp i gyfrifo amcangyfrif ar gyfer hyd oes cymedrig y batris.

ch Ai goramcangyfrif neu danamcangyfrif o hyd oes cymedrig y batris yw eich amcangyfrif? Eglurwch pam.

Ystadegaeth a Thebygolrwydd
Llinyn 1 Mesurau ystadegol
Uned 5 Amrediad rhyngchwartel

YS — YMARFER SGILIAU   DH — DATBLYGU HYDER   DP — DATRYS PROBLEMAU   DA — DULL ARHOLIAD

YS 1 Ar gyfer pob un o'r setiau data canlynol, darganfyddwch

    i y canolrif   ⬤◯◯   **ii** yr amrediad rhyngchwartel. ⬤⬤◯

    a −8, −5, −3, −2, −2, 0, 3, 5, 7, 8, 10

    b 3.6, 2.7, 4.8, 1.6, 8.3, 7.9, 6.8, 5.4, 3.3, 5.7, 7.0

YS 2 Mae'r diagram blwch a blewyn yn rhoi gwybodaeth am hydoedd   ⬤⬤◯
rhai mwydod, mewn mm.

Darganfyddwch

    a yr hyd canolrifol

    b amrediad
rhyngchwartel
yr hydoedd.

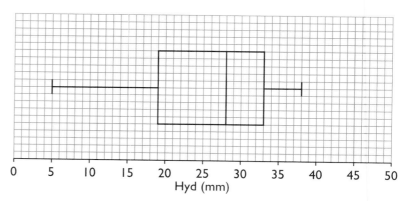

Hyd (mm)

DH 3 Mae'r tabl yn rhoi gwybodaeth am yr amser wedi'i gymryd, mewn   ⬤⬤◯
munudau, i wasanaethu pob un o 80 o gwsmeriaid yn un o'r mannau
talu mewn archfarchnad.

Amser wedi'i gymryd (*t* munud)	$0 < t \leqslant 2$	$2 < t \leqslant 4$	$4 < t \leqslant 6$	$6 < t \leqslant 8$	$8 < t \leqslant 10$	$10 < t \leqslant 12$
Amlder	7	8	15	23	20	7

    a Lluniadwch ddiagram amlder cronnus ar gyfer y wybodaeth hon.

    b Darganfyddwch amcangyfrif ar gyfer

      i yr amser canolrifol

      ii yr amrediad rhyngchwartel.

Yr amser byrraf wedi'i gymryd i wasanaethu cwsmer oedd 0.5 munud.
Yr amser hiraf wedi'i gymryd i wasanaethu cwsmer oedd 11 munud.

    c Lluniadwch ddiagram blwch a blewyn ar gyfer dosraniad yr amserau wedi'u
cymryd i wasanaethu'r cwsmeriaid hyn.

DH **4** Mae'r diagram blwch a blewyn anghyflawn yn rhoi rhywfaint o wybodaeth am bwysau rhai cŵn, mewn kg. Mae'r diagram yn dangos y chwartel isaf, y chwartel uchaf a'r pwysau mwyaf. Mae'r pwysau canolrifol 8 kg yn fwy na'r chwartel isaf.

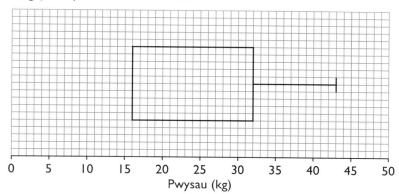

a Cyfrifwch y pwysau canolrifol.

Mae'r pwysau lleiaf 25 kg yn llai na'r chwartel uchaf. Cyfrifwch:

b y pwysau lleiaf

c amrediad y pwysau

ch yr amrediad rhyngchwartel.

DP **DA** **5** Mae'r diagramau blwch a blewyn yn dangos gwybodaeth am y nifer cyfartalog o filltiroedd am bob galwyn (m.y.g.) wedi'i gyflawni gan sampl o geir yn 1990 ac yn 2010.

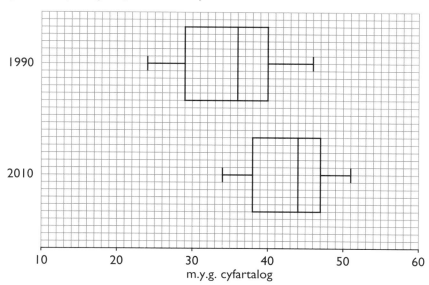

a Ysgrifennwch

i m.y.g. cyfartalog uchaf yn 1990

ii m.y.g. cyfartalog isaf yn 2010.

b Cymharwch ganolrifau ac amrediadau rhyngchwartel m.y.g. cyfartalog y ceir hyn.

153

6 Mae'r diagram amlder cronnus yn rhoi gwybodaeth am yr amserau wedi'u cymryd gan rai plant i wneud prawf.

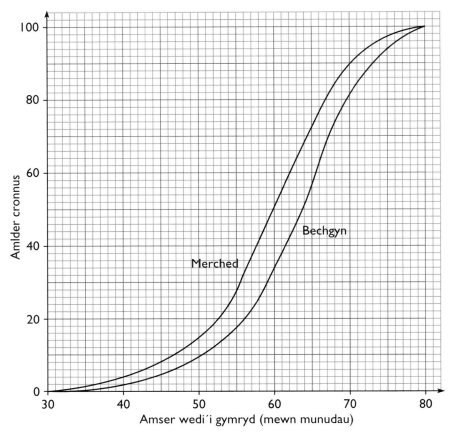

a Cymerodd mwy o ferched 50 munud neu lai i wneud y prawf na bechgyn. Amcangyfrifwch faint mwy.

b Cyfrifwch y canran o fechgyn gymerodd fwy na 70 munud i wneud y prawf.

c Cymharwch ganolrifau ac amrediadau rhyngchwartel yr amserau wedi'u cymryd gan y bechgyn a'r merched hyn i wneud y prawf.

Ystadegaeth a Thebygolrwydd
Llinyn 2 Diagramau ystadegol
Uned 4 Dangos data wedi'u grwpio

YS — YMARFER SGILIAU   DH — DATBLYGU HYDER   DP — DATRYS PROBLEMAU   DA — DULL ARHOLIAD

YS **1** Nodwch a yw pob math o ddata yn arwahanol neu'n ddi-dor.
Mae'r un cyntaf wedi'i wneud i chi.

a Nifer yr olwynion ar fws
arwahanol

b Yr amser wedi'i gymryd i redeg 100 metr

c Màs eliffant

ch Nifer y brics mewn wal

d Tymheredd cwpanaid o de

dd Uchder mynydd

e Nifer y craterau ar y lleuad

YS **2** Copïwch a chwblhewch pob categori fel ei fod â 5 dosbarth hafal.

a $0 < w \leqslant 10$ $10 < w \leqslant 20$ _____   _____   _____

b $100 \leqslant t < 150$ _____ $200 \leqslant t < 250$ _____   _____

c _____ $15 \leqslant p < 17.5$ _____ $20 \leqslant p < 22.5$ _____

ch $125.7 < d \leqslant 126.2$ $126.2 < d \leqslant 126.7$ _____   _____   _____

d _____ $2.5 \leqslant c < 2.8$ $2.8 \leqslant c < 3.1$ _____   _____

dd _____   _____ $0.56 < h \leqslant 0.6$ _____ $0.64 < h \leqslant 0.68$

YS **3** Mae Neil wedi cofnodi màs 30 llygoden.
Dyma'r canlyniadau, mewn gramau.

12.7	20.7	15.3	22.8	21.3	18.4	15.9	22.1	19.9	13.5
15.1	19.9	24.7	18.9	14.7	22.0	23.4	18.9	22.4	20.4
20.4	17.2	19.5	17.3	19.1	19.7	17.9	21.8	14.1	16.4

a Copïwch a chwblhewch y siart marciau rhifo.

b Ysgrifennwch y dosbarth modd.

Màs, m gram	Marciau rhifo	Amlder
$12.5 < m \leqslant 15$		
$15 < m \leqslant 17.5$		
$17.5 < m \leqslant 20$		
$20 < m \leqslant 22.5$		
$22.5 < m \leqslant 25$		

DH **4** Roedd meddyg wedi cofnodi tymheredd corff sampl o fabanod. Mae rhai o'r canlyniadau yn y diagram amlder hwn.

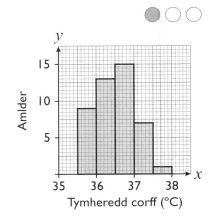

   a Copïwch a chwblhewch y tabl.

   b Sawl babi oedd yn y sampl?

   c Cyfrifwch y canran o fabanod yn y sampl oedd â thymheredd corff yn y cyfwng $36 < x \leqslant 37$.

Tymheredd corff, $x°C$	Amlder
$35 < x \leqslant 35.5$	0
	9
$36 < x \leqslant 36.5$	
$36.5 < x \leqslant 37$	
$37.5 < x \leqslant 38$	1

DH **5** Cofnododd Monica yr amser wedi'i gymryd, mewn eiliadau, i wasanaethu cwsmeriaid unigol yn ei siop. Mae'r canlyniadau wedi'u crynhoi yn y tabl amlder.

   a Cymerodd fwy na 40 eiliad i wasanaethu rhai cwsmeriaid. Faint o gwsmeriaid?

   b Cymerodd 17.5 eiliad i wasanaethu Mr Brown. Ym mha grŵp mae ef?

   c Lluniadwch ddiagram amlder i ddangos y data.

Amser, t eiliad	Amlder
$0 < t \leqslant 10$	4
$10 < t \leqslant 20$	8
$20 < t \leqslant 30$	17
$30 < t \leqslant 40$	12
$40 < t \leqslant 50$	9

DH **6** Mae'r diagram coesyn a dail yn rhoi gwybodaeth am uchderau, mewn metrau, 25 sycamorwydden mewn coedwig.

   a Lluniadwch ddiagram amlder i ddangos y data.

   b Disgrifiwch y dosraniad. Beth, os unrhyw beth, mae hyn yn ei ddweud wrthych am oed y sycamorwydd?

0	3 5 5 6 6 7 8 9 9 9
1	0 2 2 5 4 6 8 9
2	2 6 6 7 9
3	5 7

Allwedd: mae 3|5 yn golygu coeden sydd â'i huchder yn 35 m

DP
DA

7 Roedd Amod wedi cofnodi cynhwysedd ysgyfaint 30 dyn. Dyma'r canlyniadau, mewn litrau.

5.6	5.7	5.1	5.9	5.5	5.6	5.1	5.6	6.8	5.3
6.1	5.4	6.2	6.4	5.4	5.7	6.4	6.5	5.9	6.4
5.8	5.9	6.3	5.1	5.8	6.6	5.6	5.3	5.8	6.8

a Gwnewch dabl amlder grŵp ar gyfer y data hyn, gan ddefnyddio pedwar cyfwng dosbarth hafal.

b Pa ddosbarth sy'n cynnwys y canolrif?

c Lluniadwch ddiagram amlder i ddangos y data.

DP
DA

8 Cofnododd Ori faint o amser, mewn eiliadau, gallai rhai myfyrwyr sefyll ar eu coes chwith. Mae'r canlyniadau yn y tabl amlder hwn.

Amser (ar gyfer y goes chwith), t eiliad	Amlder
$50 < t \leqslant 100$	12
$100 < t \leqslant 150$	33
$150 < t \leqslant 200$	20
$200 < t \leqslant 250$	8
$250 < t \leqslant 300$	7

Cofnododd hefyd faint o amser, mewn eiliadau, gallai'r myfyrwyr hyn sefyll ar eu coes dde. Mae'r canlyniadau yn y diagram amlder hwn.

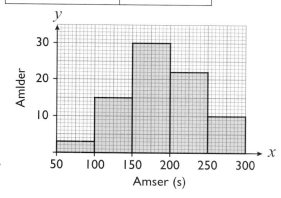

Cymharwch yr hydoedd amser gallai'r myfyrwyr hyn sefyll ar bob coes.

DP
DA

9 Mae Dafydd wedi cofnodi masau, m kg, 300 o fabanod. Mae'r canlyniadau yn y siart cylch hwn.

a Defnyddiwch y wybodaeth yn siart cylch Dafydd i luniadu diagram amlder.

b Mae Cathy yn dweud, 'mae diagram amlder yn ffordd well o ddangos canlyniadau Dafydd'. Ydych chi'n cytuno â Cathy? Eglurwch pam.

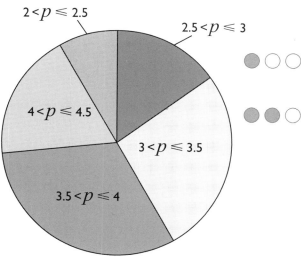

Ystadegaeth a Thebygolrwydd
Llinyn 2 Diagramau ystadegol
Uned 7 Histogramau

YS — **YMARFER SGILIAU**   **DH** — **DATBLYGU HYDER**   **DP** — **DATRYS PROBLEMAU**   **DA** — **DULL ARHOLIAD**

YS **1** Yma mae rhestr o fathau o ddiagramau.

siart bar   **siart llinell fertigol**   **diagram amlder**   **histogram**

Ysgrifennwch y diagram, neu'r diagramau, o'r rhestr byddech chi'n ei ddefnyddio/eu defnyddio i gynrychioli

a   data categorïaidd

b   data arwahanol

c   data di-dor (lledau dosbarth hafal)

ch   data di-dor (lledau dosbarth anhafal).

YS **2** Roedd Zach wedi cofnodi pwysau rhai llygod, mewn gramau. Mae'r canlyniadau wedi'u crynhoi yn y tabl amlder grŵp.

Pwysau (p gram)	Amlder	Lled dosbarth	Dwysedd amlder (amlder ÷ lled dosbarth)
$5 < p \leqslant 10$	8	5	1.6
$10 < p \leqslant 15$	10	5	**i**
$15 < p \leqslant 20$	23	**ii**	**iii**
$20 < p \leqslant 25$	**v**	**iv**	3.4

a   Darganfyddwch gofnodion **i**, **ii**, **iii**, **iv** a **v** yn y tabl.

b   Lluniadwch histogram i gynrychioli'r data.

3 Cofnododd Rhodri faint o amser, mewn munudau, roedd yn ei gymryd i deithio i'r gwaith. Mae'r histogram yn dangos gwybodaeth am y canlyniadau.

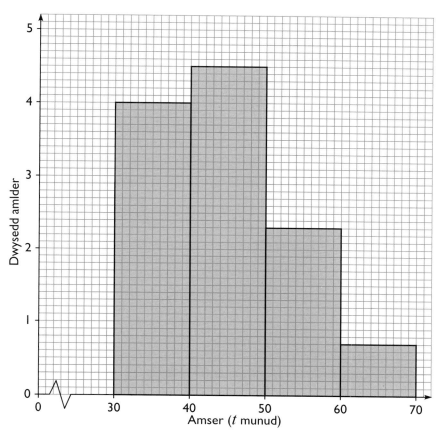

Defnyddiwch y wybodaeth yn yr histogram i ddarganfod **a**, **b**, **c**, **ch**, **d**, **dd** ac **e** yn y tabl.

Amser (t munud)	Dwysedd amlder	Lled dosbarth	Amlder (dwysedd amlder × lled dosbarth)
$30 < t \leqslant 40$	4	10	40
$40 < t \leqslant 50$	**a**	10	**b**
$50 < t \leqslant 60$	2.3	**c**	**ch**
$60 < t \leqslant 70$	**d**	**dd**	**e**

YS **4** Mae'r histogram yn dangos gwybodaeth am fuanedd y dŵr sy'n llifo mewn afon ar bob un o 90 diwrnod.

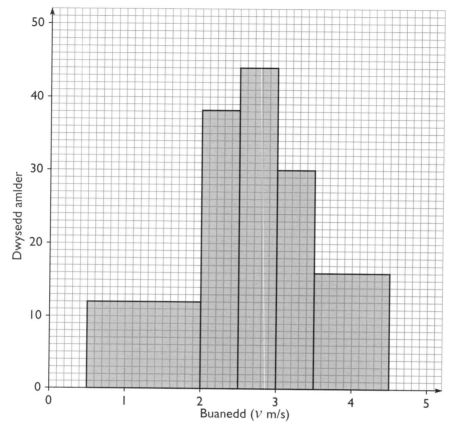

Lluniadwch dabl amlder grŵp ar gyfer y wybodaeth yn yr histogram.

Buanedd (v m/s)	Dwysedd amlder	Lled dosbarth	Amlder (dwysedd amlder × lled dosbarth)
$0.5 < v \leqslant 2$	12	1.5	18
$2 < v \leqslant 2.5$			
$2.5 < v \leqslant 3$			
$3 < v \leqslant 3.5$			
$3.5 < v \leqslant 4.5$			

Ystadegaeth a Thebygolrwydd Llinyn 3 Casglu data Uned 3 Gweithio â thechnegau samplu haenedig a diffinio hapsampl

YS — **YMARFER SGILIAU**   **DH** — **DATBLYGU HYDER**   **DP** — **DATRYS PROBLEMAU**   **DA** — **DULL ARHOLIAD**

YS
DH **1** Mae Gareth eisiau dewis hapsampl o fyfyrwyr o'i ddosbarth mathemateg. Mae rhestr y dosbarth ganddo.

Eglurwch pam na fydd dewis pob 3ydd myfyriwr yn cynhyrchu hapsampl o fyfyrwyr o'i ddosbarth mathemateg.

YS
DH **2** Mae nifer yr aelodau sy'n perthyn i bob un o 5 clwb rygbi yn cael ei ddangos yn y tabl canlynol.

Clwb Rygbi	Nifer yr aelodau
Afongoch	250
Bryntor	580
Caebach	840
Hightown	150
Jonesville	100

Mae 25 i gael eu dewis o blith aelodau'r 5 clwb rygbi. Defnyddiwch ddull samplu haenedig i gyfrifo faint o aelodau ddylai fod o bob clwb. Rhaid i chi ddangos eich holl waith cyfrifo.

YS
DH **3** Mae golygydd cylchgrawn eisiau darganfod pa gyfran o ddarllenwyr y cylchgrawn sy'n teithio i'r gwaith ar drên. Mae hi'n cynnal arolwg o'r 20 person cyntaf sy'n cario'r cylchgrawn am 8 a.m. yn yr orsaf reilffordd.

Eglurwch pam nad yw hyn yn ddull da o samplu.

YS
DA **4** Mae rheolwr ffatri eisiau ymchwilio i farn gweithwyr am frechdanau sy'n cael eu gwerthu yn y ffreutur.

Un dydd mae hi'n gofyn i'r 10 gweithiwr cyntaf sy'n prynu brechdanau am eu barn nhw.

a Eglurwch pam nad yw hyn yn ddull boddhaol o ddewis sampl o weithwyr i'w holi am y brechdanau sy'n cael eu gwerthu.

b Eglurwch sut gallai'r rheolwr ddewis hapsampl o 10 gweithiwr.

YS
DA

5 Mae cwmni'n cyflogi pobl o nifer o ranbarthau.

Mae nifer y bobl sydd wedi'u cyflogi gan y cwmni ym mhob rhanbarth yn cael ei ddangos yn y tabl canlynol.

Rhanbarth	Nifer y gweithwyr
Gogledd Orllewin	2345
Gogledd Ddwyrain	1657
De Orllewin	1282
De Ddwyrain	393

Mae'r cwmni'n trefnu cynhadledd ac mae'n penderfynu gwahodd cyfanswm o 110 o weithwyr i gynrychioli safbwyntiau'r holl bobl sydd wedi'u cyflogi.

Defnyddiwch ddull samplu haenedig i gyfrifo faint o bobl o bob rhanbarth ddylai gael eu gwahodd i'r gynhadledd. Rhaid i chi ddangos eich holl waith cyfrifo.

YS
DA

6 Mae gan elusen chwaraeon ryngwladol wirfoddolwyr yng Nghymru, yr Alban, UDA a De Affrica.

Mae nifer y gwirfoddolwyr ym mhob gwlad yn cael ei ddangos yn y tabl canlynol.

Gwlad	Nifer y gwirfoddolwyr
Cymru	231
Yr Alban	92
UDA	2352
De Affrica	1123

Mae cyfundrefn yr elusen chwaraeon yn trefnu digwyddiad ac mae'n penderfynu gwahodd 22 gwirfoddolwr i gynrychioli'r gwirfoddolwyr yng Nghymru, yr Alban, UDA a De Affrica.

a Defnyddiwch ddull samplu haenedig i gyfrifo faint o wirfoddolwyr o bob gwlad ddylai gael eu gwahodd i'r digwyddiad.

b Eglurwch pam byddai De Affrica yn anfon dim ond 6 gwirfoddolwr, nid 7 gwirfoddolwr, i'r digwyddiad. Rhowch ddau reswm dros y penderfyniad hwn.

Ystadegaeth a Thebygolrwydd
Llinyn 4 Tebygolrwydd Uned 5
Y rheol luosi

YS — **YMARFER SGILIAU**   **DH** — **DATBLYGU HYDER**   **DP** — **DATRYS PROBLEMAU**   **DA** — **DULL ARHOLIAD**

YS **1** Mae blwch yn cynnwys tri beiro glas a chwe beiro du.

   a Mae Celine yn tynnu beiro ar hap o'r blwch. Ysgrifennwch y tebygolrwydd mai lliw y beiro fydd

      i glas

      ii du.

   Mae hi'n rhoi'r beiro cyntaf yn ôl ac mae'n tynnu beiro glas o'r blwch.

   b Sawl

      i beiro glas

      ii beiro du

   sydd yn y blwch nawr?

   c Dydy Celine ddim yn rhoi'r beiro glas yn ôl ac mae hi'n tynnu beiro arall o'r blwch ar hap. Ysgrifennwch y tebygolrwydd mai lliw'r beiro yw

      i glas

      ii du.

YS **2** Mae bag A yn cynnwys 3 chownter lliw coch a 2 gownter lliw glas.

Mae bag B yn cynnwys 2 gownter lliw coch a 5 cownter lliw glas.

   a Copïwch a chwblhewch y diagram canghennog hwn.

Mae Catrin yn tynnu 1 cownter o fag A ac 1 cownter o fag B heb edrych.

   b Cyfrifwch y tebygolrwydd y bydd y ddau gownter yn lliw

      i coch

      ii glas.

   c Cyfrifwch y tebygolrwydd y bydd y cownter o fag A yn lliw glas ac y bydd y cownter o fag B yn lliw coch.

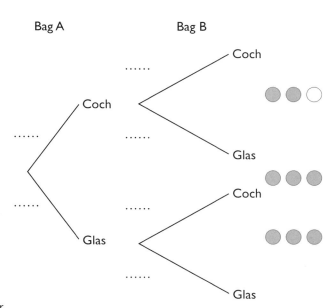

167

YS **3** Mae gan Wyn droellwr teg â phum ochr fel yr un yn y diagram.
Mae e'n mynd i droi'r troellwr ddwywaith.

Cyfrifwch y tebygolrwydd y bydd y troellwr yn glanio ar

a A ac yna A

b A ac yna B

c B ac yna C.

Mae Wyn nawr yn troi'r troellwr dair gwaith. Cyfrifwch
y tebygolrwydd y bydd y troellwr yn glanio ar

ch A ac yna A ac yna C.

YS **4** Mae blwch yn cynnwys 7 o felysion lemon a 6 o felysion leim.
Mae Mair yn tynnu 2 o'r melysion o'r blwch ar hap.
Copïwch a chwblhewch y diagram canghennog.

Melysion cyntaf   Ail felysion

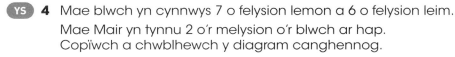

lemon $\frac{7}{13} \times \frac{6}{12}$

$\frac{6}{12}$

lemon

......

leim ......

$\frac{7}{13}$

lemon ......

....

leim

......

leim ......

DH **5** Mae gan Delyth fag o ddarnau arian a blwch o ddarnau arian.
Heb edrych, mae hi'n tynnu darn arian o'r bag a darn arian o'r blwch.

Y tebygolrwydd mai darn £1 fydd y darn arian o'r bag yw $\frac{4}{7}$.

Y tebygolrwydd mai darn £1 fydd y darn arian o'r blwch yw $\frac{3}{4}$.

a Cyfrifwch y tebygolrwydd mai darn £1 yw'r darn arian o'r bag a hefyd y darn arian o'r blwch.

b Cyfrifwch y tebygolrwydd bod y darn arian o'r bag yn ddarn £1 a bod y darn arian o'r blwch ddim yn ddarn £1.

c Ysgrifennwch y sefyllfa sy'n cael ei chynrychioli gan y cyfrifiad $\frac{3}{7} \times \frac{1}{4} = \frac{3}{28}$.

DH **6** Mae Tom a hefyd Simone yn meddwl am rif o 1 i 9 (gan gynnwys y rhifau hyn).

    a Cyfrifwch y tebygolrwydd bod y ddau yn meddwl am

       i 3

      ii eilrif

     iii rhif sy'n fwy na neu'n hafal i 7

     iv rhif cysefin.

    b Cyfrifwch y tebygolrwydd bod

       i Tom yn meddwl am rif sy'n fwy na 3 a bod Simone yn meddwl am rif sy'n llai na 5

      ii Tom yn meddwl am rif sgwâr a bod Simone yn meddwl am rif cysefin.

DH **7** Mae Zoe yn sefyll dau brawf A a B.

Y tebygolrwydd y bydd hi'n pasio prawf A yw 35% a'r tebygolrwydd y bydd hi'n pasio prawf B yw 85%.

Mae'r digwyddiadau'n annibynnol.

Cyfrifwch y tebygolrwydd y bydd Zoe yn

    a pasio'r ddau brawf

    b methu'r ddau brawf

    c pasio dim ond un o'r profion.

DP **DA** **8** Mae Dilys a Mica yn chwarae gêm. Mae angen i bob un rolio chwech ar ddis arferol sydd â chwe ochr i ddechrau'r gêm.

    a Beth yw'r tebygolrwydd y bydd Dilys yn dechrau'r gêm ar ei

       i rholiad cyntaf

      ii ail roliad.

    b Beth yw'r tebygolrwydd y bydd Mica yn dechrau'r gêm ar ei bumed rholiad o'r dis?

DP **DA** **9** Mae Sri yn gwisgo crys a hefyd tei i'r gwaith.

Y tebygolrwydd bod Sri yn gwisgo crys gwyn yw 0.8.

Pan fydd Sri yn gwisgo crys gwyn, y tebygolrwydd y bydd e'n gwisgo tei pinc yw 0.75.

Pan na fydd Sri yn gwisgo crys gwyn, y tebygolrwydd y bydd e'n gwisgo tei pinc yw 0.35.

    a Lluniadwch ddiagram canghennog i gynrychioli'r sefyllfa. Llenwch yr holl debygolrwyddau.

    b Cyfrifwch y tebygolrwydd na fydd Sri yn gwisgo tei pinc pan fydd e'n mynd i'r gwaith yfory.

Ystadegaeth a Thebygolrwydd
Llinyn 4 Tebygolrwydd
Uned 6 Y rheol adio a nodiant diagram Venn

YS 1 Mae'r diagram Venn yn dangos gwybodaeth am nifer y myfyrwyr sy'n astudio Tsieinëeg, Japanaeg ac ieithoedd eraill mewn coleg.

Mae un o'r myfyrwyr hyn yn cael ei ddewis ar hap.

a Cyfrifwch y tebygolrwydd bod y myfyriwr hwn yn astudio

  i Tsieinëeg a Japanaeg

  ii Tsieinëeg neu Japanaeg

  iii dim ond Japanaeg.

b Cyfrifwch y tebygolrwydd nad yw'r myfyriwr hwn yn astudio

  i Japanaeg

  ii Tsieinëeg.

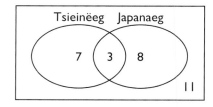

YS 2 a Mae digwyddiad A a digwyddiad B yn ddigwyddiadau cydanghynhwysol.

P(A) = 0.48 a P(B) = 0.37.

  i Lluniadwch ddiagram Venn sy'n dangos y wybodaeth hon.

  ii Darganfyddwch (A neu B).

b Dydy digwyddiad C a digwyddiad D ddim yn ddigwyddiadau cydanghynhwysol.

P(C) = 0.8, P(D) = 0.5 a P(C a D) = 0.4.

  i Lluniadwch ddiagram Venn sy'n dangos y wybodaeth hon.

  ii Darganfyddwch P(C neu D).

DH 3 Roedd 65% o'r bobl mewn parti wedi cyrraedd mewn tacsi ac roedd 80% wedi cyrraedd mewn gwisg ffansi.

Roedd 55% wedi cyrraedd mewn tacsi ac mewn gwisg ffansi.

a Lluniadwch ddiagram Venn i ddangos y wybodaeth hon.

b Cyfrifwch y tebygolrwydd bod person sy'n cael ei ddewis ar hap wedi cyrraedd mewn tacsi neu yn gwisgo gwisg ffansi.

4 Mae Giles yn gofyn i 52 person i ba un o dri siop goffi maen nhw'n mynd, os o gwbl.

Dyma'r canlyniadau.

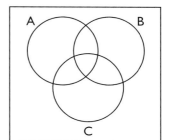

- Mae 15 person yn mynd i siop goffi A.
- Mae 25 person yn mynd i siop goffi B.
- Mae 12 person yn mynd i siop goffi C.
- Mae 8 person yn mynd i siop goffi A a siop goffi B.
- Mae 2 berson yn mynd i siop goffi B a siop goffi C.
- Mae 0 person yn mynd i bob un o'r siopau coffi.
- Mae 0 person yn mynd i siop goffi A a siop goffi C.
- Dydy 10 person ddim yn mynd i unrhyw un o'r siopau coffi hyn.

a Copïwch a chwblhewch y diagram Venn i ddangos y wybodaeth hon.

b Cyfrifwch y tebygolrwydd bod person sy'n cael ei ddewis ar hap

   i yn mynd i siop goffi A yn unig

   ii ddim yn mynd i siop goffi B

   iii yn mynd i siop goffi A neu siop goffi B

   iv yn mynd i siop goffi A neu siop goffi C.

c O wybod bod person yn mynd i siop goffi A neu siop goffi B, beth yw'r tebygolrwydd ei fod hefyd yn mynd i siop goffi C?

 5 Mae 120 o gyfrifiaduron mewn ystafell arddangos.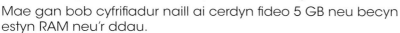

Mae gan bob cyfrifiadur naill ai cerdyn fideo 5 GB neu becyn estyn RAM neu'r ddau.

Mae 86 â cherdyn fideo 5 GB.

Mae 75 â phecyn estyn RAM.

Mae Idris yn dewis un o'r cyfrifiaduron ar hap.

Beth yw'r tebygolrwydd ei fod e'n dewis cyfrifiadur sydd â cherdyn fideo 5 GB a phecyn estyn RAM?

 6 Mae blwch yn cynnwys melysion oren, melysion mefus, melysion leim a melysion lemon.

Y tebygolrwydd o ddewis un o'r melysion oren ar hap yw 0.18.

Y tebygolrwydd o ddewis un o'r melysion mefus ar hap yw 0.25.

Y tebygolrwydd o ddewis un o'r melysion leim ar hap yw 0.37.

Cyfrifwch y tebygolrwydd o ddewis, ar hap

a un o'r melysion oren neu un o'r melysion mefus

b un o'r melysion mefus neu un o'r melysion lemon.

DP
DA
7 P(A) = 0.3 P(B) = 0.8 P(A neu B) = 0.86

Dangoswch fod digwyddiad A a digwyddiad B yn ddigwyddiadau
annibynnol.

DH **8** Gwnewch gopi o'r diagram Venn i ateb pob rhan o'r cwestiwn hwn.

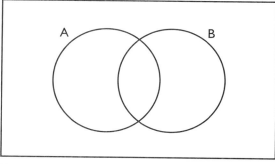

Tywyllwch y rhanbarthau canlynol.

a A ∩ B′ **b** (A ∪ B)′

DH **9** Mae gwyddonydd bwyd yn ymchwilio i frandiau gwahanol o fiwsli.
Y ddau brif gynhwysyn sydd o ddiddordeb iddi yw hadau pwmpen a hadau
sesame.
Mae'r gwyddonydd bwyd yn dadansoddi 50 brand gwahanol o fiwsli.
Mae hi'n darganfod nad yw 20 o'r brandiau yn cynnwys hadau pwmpen na
hadau sesame.
Mae gan 18 o'r brandiau hadau pwmpen ac mae gan 22 o'r brandiau hadau
sesame.

a Dangoswch y wybodaeth hon mewn diagram Venn.

b Amcangyfrifwch y tebygolrwydd y bydd brand o fiwsli sy'n cael ei ddewis ar
hap yn cynnwys hadau pwmpen a hefyd hadau sesame.

c Pam mai dim ond amcangyfrif yw eich ateb yn **b**?

DP **10** Gwnewch gopi o'r diagram Venn i ateb pob rhan o'r cwestiwn hwn.

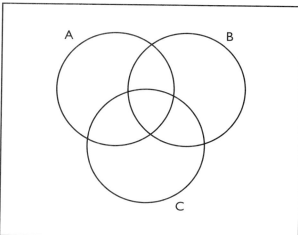

Tywyllwch y rhanbarthau canlynol.

a (A ∩ B) ∪ C **b** (A ∪ B) ∩ C′

MATHEMATEG YN UNIG

Ystadegaeth a Thebygolrwydd
Llinyn 4 Tebygolrwydd
Uned 7 Tebygolrwydd amodol

YS — YMARFER SGILIAU   **DH** — DATBLYGU HYDER   **DP** — DATRYS PROBLEMAU   **DA** — DULL ARHOLIAD

YS **1** Mae gan Tony

3 cherdyn coch â'r rhifau 1, 2, 3 arnyn nhw

4 cerdyn gwyrdd â'r rhifau 1, 2, 3, 4 arnyn nhw

5 cerdyn melyn â'r rhifau 1, 2, 3, 4, 5 arnyn nhw

Mae Tony yn cymryd, ar hap, cerdyn coch, cerdyn gwyrdd a cherdyn melyn.

Sawl cyfuniad gwahanol posibl sydd?

YS **2** Mae bag yn cynnwys 3 glain lliw coch a 5 glain lliw glas. Mae Emma yn mynd i dynnu dau lain ar hap o'r bag.

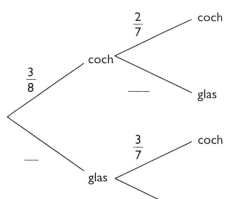

a Copïwch a chwblhewch y diagram tebygolrwydd canghennog ar gyfer y wybodaeth hon.

b Cyfrifwch y tebygolrwydd y bydd

   i y ddau lain yn lliw coch

   ii y ddau lain yn lliw glas

   iii y glain cyntaf yn lliw coch a'r ail lain yn lliw glas.

173

MATHEMATEG YN UNIG

YS **3** Mewn arolwg, mae rhywun yn gofyn i 25 myfyriwr a ydyn nhw'n astudio Daearyddiaeth a Hanes. Mae'r diagram Venn yn rhoi gwybodaeth am y canlyniadau.

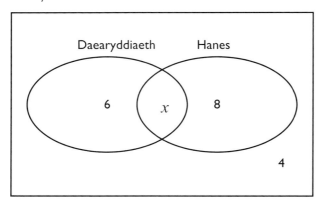

a Cyfrifwch werth x.

Mae un o'r 25 myfyriwr hyn yn cael ei ddewis ar hap.

b O wybod bod y myfyriwr hwn yn astudio Hanes, beth yw'r tebygolrwydd ei fod hefyd yn astudio Daearyddiaeth?

c O wybod bod y myfyriwr hwn yn astudio Daearyddiaeth, beth yw'r tebygolrwydd ei fod hefyd yn astudio Hanes?

DH **4** Aeth 79 person ar daith. Gofynnwyd i bob person ddewis blas o greision ar gyfer eu bocs bwyd. Gallen nhw ddewis o blith creision Bacwn Mwg, creision Caws a Winwns a chreision Halen a Finegr. Mae'r tabl dwyffordd yn dangos gwybodaeth am y dewisiadau.

	Bacwn Mwg	Caws a Winwns	Halen a Finegr	Cyfanswm
Gwryw	15	11	13	39
Benyw	14	17	9	40
Cyfanswm	29	28	22	79

Mae Kim yn dewis ar hap un o'r 79 person hyn.

a O wybod bod y person sy'n cael ei ddewis yn wryw, beth yw'r tebygolrwydd ei fod wedi dewis Bacwn Mwg?

b O wybod bod y person sy'n cael ei ddewis wedi dewis Halen a Finegr, beth yw'r tebygolrwydd bod y person yn wryw?

c O wybod bod y person sy'n cael ei ddewis yn fenyw, beth yw'r tebygolrwydd ei bod hi wedi dewis Caws a Winwns neu Facwn Mwg?

ch O wybod bod y person sy'n cael ei ddewis **ddim** wedi dewis Bacwn Mwg, beth yw'r tebygolrwydd bod y person yn fenyw?

DH **5** Mae blwch yn cynnwys cownteri lliw du a chownteri lliw gwyn yn unig. Mae bag yn cynnwys cownteri lliw du a chownteri lliw gwyn yn unig. Mae Jim yn mynd i dynnu ar hap cownter o'r blwch a chownter o'r bag.

Y tebygolrwydd y bydd y cownter o'r blwch yn lliw gwyn yw 0.4. Y tebygolrwydd y bydd y cownter o'r bag yn lliw gwyn yw 0.7.

a Lluniadwch ddiagram canghennog i ddangos pob canlyniad posibl.

b Beth yw'r tebygolrwydd y bydd y ddau gownter yn lliw gwyn?

c Beth yw'r tebygolrwydd y bydd y ddau gownter o'r un lliw?

ch O wybod bod y ddau gownter o'r un lliw, beth yw'r tebygolrwydd bod y cownter o'r blwch yn lliw gwyn?

d O wybod **nad** yw'r cownteri o'r un lliw, beth yw'r tebygolrwydd bod y cownter o'r bag yn lliw du?

DH **6** Gofynnodd Danni i bob un o 50 person pa un/rai o 3 gêm ragbrofol cystadleuaeth bêl-droed roedden nhw wedi ei gwylio, os wnaethon nhw wylio unrhyw rai o gwbl. Dyma rywfaint o wybodaeth am ei chanlyniadau.

Roedd 22 wedi gwylio Gêm 1
Roedd 29 wedi gwylio Gêm 2
Roedd 14 wedi gwylio Gêm 3
Roedd 5 wedi gwylio Gêm 1 a Gêm 3
Roedd 7 wedi gwylio Gêm 2 a Gêm 3
Roedd 12 wedi gwylio Gêm 1 a Gêm 2
Roedd 3 wedi gwylio pob un o'r 3 gêm

a Lluniadwch ddiagram Venn i ddangos y wybodaeth hon.

b Mae Danni'n mynd i ddewis un o'r 50 person hyn ar hap. Beth yw'r tebygolrwydd bod y person wedi gwylio Gêm 1 neu Gêm 2?

c Dewisodd Clive un o'r 50 person hyn ar hap. O wybod bod y person wedi gwylio Gêm 3, cyfrifwch y tebygolrwydd bod y person hefyd wedi gwylio Gêm 1.

ch Dewisodd Billy un o'r 50 person hyn ar hap. O wybod nad oedd y person wedi gwylio Gêm 1, cyfrifwch y tebygolrwydd bod y person wedi gwylio Gêm 2 a Gêm 3.

DP **DA** **7** Mae blwch yn cynnwys 3 phensil coch, 4 pensil glas a 5 pensil gwyrdd. Mae Steffan yn mynd i dynnu dau bensil o'r blwch ar hap.

Cyfrifwch y tebygolrwydd y bydd y ddau bensil o'r un lliw.

DP **DA** **8** Mae 11 merch ac 8 bachgen mewn clwb gwyddbwyll. Mae Jake yn mynd i ddewis tîm o'r clwb gwyddbwyll ar hap. Bydd dau chwaraewr yn y tîm.

Cyfrifwch y tebygolrwydd **na** fydd Jake yn dewis dau fachgen ar gyfer y tîm.

DP
DA
9 Mae gan Tony 3 bag o siocledi, bag A, bag B a bag C.

Mae bag A yn cynnwys 3 siocled tywyll a 5 siocled gwyn.
Mae bag B yn cynnwys 2 siocled tywyll a 7 siocled gwyn.
Mae bag C yn cynnwys 4 siocled tywyll a 3 siocled gwyn.
Mae Sally yn mynd i dynnu siocled o fag A ar hap. Os yw'r siocled yn siocled tywyll bydd hi'n tynnu siocled o fag B ar hap, fel arall bydd hi'n tynnu siocled o fag C ar hap.
Cyfrifwch y tebygolrwydd y bydd hi'n tynnu siocled tywyll a siocled gwyn (mewn unrhyw drefn) o'r bagiau.

DP
DA
10 Yma mae rhai cardiau. Mae llythyren ar bob cerdyn. Mae Shelly yn mynd i dynnu tri o'r cardiau hyn ar hap.

Cyfrifwch y tebygolrwydd y bydd yr un llythyren ar ddau o'r tri cherdyn.

176